bhagavad gita

CamelotEditora

VEDA VIASA

bhagavad gita

Título original: The Bhagavad-Gita

1ª Impressão 2022

Presidente: Paulo Roberto Houch
MTB 0083982/SP

Coordenação Editorial: Priscilla Sipans
Coordenação de Arte: Rubens Martim (capa)
Tradução: Julia Fiuza
Preparação de texto: Claudio Blanc
Edição: Eliana Nogueira
Revisão: Maria Alice Brasil
Diagramação: Jorge Toth
Produção Editorial: Vozes do Mundo Comunicações

Vendas: Tel.: (11) 3393-7727 (comercial2@editoraonline.com.br)

Impresso no Brasil.
Foi feito o depósito legal.

Dados Internacionais de Catalogação na Publicação (CIP)
de acordo com ISBD

V622b Viasa, Veda

Bhagavad Gita / Veda Viasa ; traduzido por Julia Fiuza. – Barueri, SP : Camelot Editora, 2022.
80 p. ; 15,1cm x 23cm.

ISBN: 978-65-80921-28-7

1. Literatura indiana. 2. Romance. I. Fiuza, Julia. II. Título.

2022-3729 CDD 891.3
CDU 821.540

Elaborado por Odilio Hilario Moreira Junior - CRB-8/9949

Direitos reservados ao
IBC — Instituto Brasileiro de Cultura LTDA
CNPJ 04.207.648/0001-94
Avenida Juruá, 762 — Alphaville Industrial
CEP. 06455-010 — Barueri/SP
www.editoraonline.com.br

Mas ele, Arjuna, que restringe seus sentidos pela mente e está livre de apegos, engajando-se na devoção através da forma da ação, com os meios de ação, é muito superior.

Bhagavad Gita

Sumário

Capítulo I

Dhritarashtra disse:

— O que meu povo e os Pandavas fizeram, ó Sanjaya, quando se reuniram no campo sagrado de Kurukshetra, desejosos de luta?

Sanjaya disse:

— Ao ver o exército dos Pandavas em formação de batalha, o príncipe Duryodhana aproximou-se do preceptor e falou estas palavras: 'Veja, ó Mestre! Observe este grande exército dos filhos de Pandu, colocado em posição de batalha por seu talentoso aluno, o filho de Drupada. Nele estão heróis portando grandes arcos, iguais aos de Bhîma e Arjuna. Lá estão Yuyudhâna, Virâta, e Drupada, o mestre de um grande carro de guerra, e Dhrishtaketu, Kekitâna e o valente rei de Kâsî, Purugit e Kuntibhoga. Também está aquele eminente homem Saibya, o heroico Yudhâmanyu, os valentes Uttamaugas, filhos de Subhadrâ, e os filhos de Draupadî. Todos, mestres de grandes carros de batalha.

E agora, ó melhor dos brâmanes, aprenderá quem são mais os distintos entre nós, os quais são líderes do meu exército. Vou nomeá-los para você, a fim de que possa conhecê-los bem. Você mesmo, e Bhîshma, e Karna, e Kripa, o vencedor de muitas batalhas; Asvatthâman, e Vikarna, e o filho de Somadatta, e muitos outros homens corajosos que lutam com várias armas, são todos hábeis em batalhas e que sacrificariam suas vidas por mim. Assim, o exército deles, sob o comando de Bhîma, é suficiente para a vitória, enquanto este exército, comandado por Bhîshma, é muito limitado. E, portanto, todos vocês, ocupando respectivamente as posições atribuídas, protegem apenas Bhîshma.

Em seguida, seu poderoso avô, Bhîshma, o mais velho dos Kauravas, rugindo com a voz alta como a de um leão, soprou sua concha, gerando um deleite em Duryodhana. E então, todos de uma vez, soaram conchas, tambores, timbales e chifres, produzindo um ruído aterrador. Então, Mâdhava e o filho de Pandu (Arjuna) sentaram-se em uma grande carruagem na qual corcéis brancos estavam atrelados, e Mâdhava soprou suas conchas celestiais. Madhava (Sri Krishna) soprou a panchajania (concha celestial); Dhananjaya (Arjuna), a devadatta; Vrikodara (Bhima), de ações terríveis, soou a grande concha poundra; o rei Yudhistira soprou a anantavijaia; Nakula e Sahadeva, as sughosa e manispuspaka. O rei de Kâsî, um arqueiro excelente, e Sikhandin, o mestre de um grande carro de guerra, e Dhrishtadyumna, Virâta, e os Sâtyaki inconquistados, e Drupada, e os filhos de Draupadî, e o filho de Subhadrâ, de braços poderosos, sopraram conchas várias vezes de todos os lados.

— Aquele ruído aterrador ressoou no céu e na Terra e partiu os corações de teus filhos, ó rei!

Então, ó rei, Arjuna, o filho de Pandu, cujo carro leva a figura do macaco, quando viu aos Dharta-rashtras (vossos filhos) em posição de batalha, com as diferentes armas prontas para serem usadas, levantou seu arco e disse o seguinte a Hrishikesha:

— Achyuta (Sri Krishna), coloque meu carro entre os dois exércitos para que eu veja os que vieram preparados para lutar e contemple, antes que comece, a guerra a qual devo combater. Quero observar os que vieram para lutar ao lado de Duryodhana, o filho mal-intencionado de Dhritarastra.

Sanjaya disse:

— Ó descendente de Bharata, a esse pedido de Arjuna, Sri Krishna colocou o excelente carro entre os dois exércitos, em frente à Bhisma, Drona e outros reis e disse: 'Veja, Partha (Arjuna), os Kurus reunidos'. Lá, o filho de Pritha (Arjuna) viu, em ambos os exércitos, pais e avós, preceptores, tios maternos, irmãos, filhos, netos, companheiros, sogros e amigos. E, vendo todos aqueles parentes lá de pé, o filho de Kunti foi tomado por uma excessiva piedade, e falou desanimado.

Arjuna disse:

— Vendo aqui esses parentes, Krishna, desejosos de se envolverem em batalha, meus membros falham, minha boca está bastante seca, um tremor desce sobre meu corpo e meus cabelos ficam em pé. O Gândîva (arco) escorrega da minha mão; minha pele queima intensamente. Eu sou incapaz, também, de me levantar; minha mente está um turbilhão. Ó Kesava! Eu vejo presságios adversos e não percebo nenhum bem para acumular depois de matar meus parentes na batalha.

Não desejo a vitória, ó Krishna! Nem soberania, nem prazeres: o que é soberania para nós, ó Govinda! E os prazeres, e até mesmo a vida? Mesmo aqueles para quem desejamos soberania, prazeres e felicidades, estão aqui para a batalha, abandonando a vida e os preceptores da riqueza, pais, fi-

lhos, bem como avôs, tios maternos, sogros, netos, cunhados, como também outros parentes. Estes, eu não quero matar, embora eles venham me matar.
Ó Madhusudana, ainda que eles me matem, eu não quero matá-los, nem para reinar neste mundo, nem para a soberania dos três mundos. Ó Janardana, que prazer teríamos ao matar os Dharta-rashtras? Seria um ato pecaminoso matar estes agressores. Por isso, não devemos destruir os nossos parentes, os Dharta-rashtras. Ó Madhava, como poderíamos ser felizes matando os nossos próprios parentes? Apesar de terem suas consciências corrompidas pela avareza, eles não veem os males fluindo da extinção de uma família, nem pecado em trair os amigos. Por que, ó Janardana, nós que vemos o grande mal que nasce da destruição dos parentes, não desistimos de cometer este pecado? Com a extinção de uma família, os eternos ritos das famílias são destruídos. Quando ritos são destruídos, a impiedade predomina sobre toda a família. Ao prevalecer a imoralidade, as mulheres se corrompem e disto, ó Varshneya, nascem os bastardos, o que é um verdadeiro inferno para uma família, a qual logo se destrói. Os antepassados caem de sua morada celestial, porque não recebem as oferendas de água e tortas de arroz. E por essas transgressões dos destruidores de famílias, destroem-se os cultos religiosos e da casta. Ó Janardana! Ouvimos que homens cujos ritos familiares são destruídos levam uma vida permanentemente infernal.
Estamos empenhados em cometer um pecado hediondo, uma vez que estamos nos esforçando para matar nossos próprios parentes por ganância dos prazeres da soberania. Se os filhos de Dhritarashtra, com armas na mão, me ma-

tassem em batalha, sem que eu resista ou esteja armado, seria melhor para mim.

Sanjaya disse:

— Tendo falado assim, Arjuna deixou seu arco e suas flechas no campo de batalha e sentou-se em sua carruagem, com o coração cheio de dor.

Capítulo II

Sanjaya disse:

— Para ele, que foi assim abatido pela compaixão, cujos olhos estavam cheios de lágrimas, a Divindade falou estas palavras:

— Neste momento crítico, ó Arjuna, de onde vem esta sua indigna debilidade, contrária ao proveito da vida celestial? Não se porte de maneira afeminada, ó filho de Pritha! Lance fora esta fraqueza do coração, e reerga-se, ó destruidor de seus inimigos!

Arjuna disse:

— Como, ó destruidor Madhusudana! devo encontrar na batalha, armado com minhas flechas, Bhîshma e Drona, ambos dignos de minhas reverências, ó destruidor de inimigos! É melhor viver de esmolas neste mundo do que matar estes veneráveis preceptores. Mas matá-los, embora sejam avarentos de bens mundanos, mancharia de sangue o desfrute dos meus prazeres. Nem sabemos qual dos dois é melhor para nós: se devemos derrotá-los, ou se eles devem nos derrotar. Mesmo depois de matá-los, não desejaríamos viver, pois diante de nós estão os filhos de Dhritarashtra. Com um coração contaminado pela mancha do desamparo, com uma mente confusa sobre meu dever, eu lhe pergunto. Diga-me, com toda clareza, qual é o meu dever. Sou seu discípulo, instrua-me, eu suplico.

Ainda que eu fosse um próspero rei no mundo, sem rivais, e dominasse os seres celestes, não vejo realmente o que poderia cessar este pesar que consome meus sentidos.

Sanjaya continuou:

— Tendo falado assim com Hrishîkesa, Gudâkesa, o vencedor de inimigos, disse a Govinda:

— Não me envolverei em batalha, e, na verdade, permaneço em silêncio.

— Ó Bharata, disse então Hrishikesha ao que se lamentava entre os dois exércitos.

A Divindade disse:

— Você tem sofrido por aqueles que não merecem sua dor e, ainda assim, você fala palavras de sabedoria. Homens sábios não sofrem pelos vivos nem pelos mortos. Nunca deixei de existir, nem você, nem esses governantes dos homens; nem qualquer um de nós deixará de existir daqui em diante. Assim como, neste corpo, a infância, a juventude e a velhice se manifestam, assim também acontece para o Ser na aquisição de outros corpos. Um homem sensato não se engana sobre isso.

O contato dos sentidos, ó filho de Kunti, produz frio e calor, prazer e dor; não são permanentes, eles estão sempre indo e vindo. Suporte-os, ó descendente de Bharata! Apenas aquele que não se aflige por estas modificações e é equânime no prazer e na dor alcança a imortalidade, pois nada o aflige. Não há existência para o que é irreal; não há incoerência para o que é real. E a conclusão correta sobre ambos é percebida por aqueles que compreendem a verdade. Saiba que é imortal aquele que interpenetra tudo isto. Ninguém pode destruir este princípio imutável.

Esses corpos, nos quais moram o Eterno, Indestrutível e Indefinível, são perecíveis. Portanto, envolva-se nesta batalha, ó descendente de Bharata! Aquele que pensa que é o assassino e aquele que pensa que foi morto, ambos não sabem de nada.
O Ser não mata, não é morto. Não nasce, nem nunca morre, não tem origem e não existe mais. O Ser não é nascido, é eterno, imutável e primitivo, não morre quando o corpo morre. Ó filho de Pritha! Aquele que sabe que o Ser é imortal, eterno, sem nascimento e imutável, como pode matar ou ser morto? Da mesma forma que alguém deixa suas vestes gastas e coloca outras novas, assim o Ser deixa seu corpo gasto e entra em outros novos. As armas não o fazem em pedaços, o fogo não pode queimá-lo, as águas não o umedecem, o vento não o seca. Não é divisível, não é inflamável. Não deve ser umedecido, não é para ser seco. É eterno, permeia, é estável e firme. Diz-se que é imperceptível, impensável, imutável.
Portanto, sendo assim, você não deve se afligir. Mesmo que você pense que está constantemente nascendo e morrendo, ainda assim, ó você que tem braços poderosos, não deve se afligir, porque aquilo que nasce, morre e o que morre, renasce com certeza. Portanto, você não deve sofrer pelo inevitável. A fonte das coisas, ó Descendente de Bharata, é despercebida, seu estado intermediário é percebido e seu fim novamente é despercebido. Que motivo há para qualquer lamentação em relação a isto? Uns olham para isso como algo maravilhoso, outros falam disso maravilhados, outros também ouvem sobre isso como uma maravilha e, mesmo depois de ter tanto ouvido falar, ninguém realmente conhece esta Verdade. Este Ser encarnado no corpo, ó Descendente de Bharata, é sempre indestrutível. Portanto, você não deve sofrer por ninguém. Tendo em conta seu próprio dever também, você não deve vacilar, pois não há nada melhor para um Kshatriya do que uma batalha justa. Feliz aqueles Kshatriyas, ó filho de Pritha, que podem encontrar

tal batalha para lutar sem buscá-la, é como uma porta aberta para o céu! Mas se você não lutar esta batalha justa, então terá abandonado seu próprio dever, incorrendo em pecado. Todos os seres, também, vão falar de sua infâmia eterna. E, para aquele que foi homenageado, a infâmia é um mal maior do que a morte. Guerreiros que são mestres de grandes carros pensarão que você se absteve da batalha por conta do medo e, tendo sido julgado por eles, cairá em desgraça. Seus inimigos, também, declamando seu poder, falarão coisas indignas sobre você.

E o que há, de fato, mais lamentável do que isto? Morto, você vai obter o céu; vitorioso, você vai desfrutar da Terra. Portanto, levante-se, ó Filho de Kunti! Decida-se a combater com ânimo firme! Observando igualmente o prazer e dor, o ganho e a perda, vitória ou derrota, prepare-se para a batalha, e assim você não incorrerá em pecado. O conhecimento aqui declarado se relaciona à doutrina Sankhya. Agora, ouça sobre isso relacionado à Ioga . Tendo este conhecimento, ó Filho de Pritha, neste caminho para a emancipação final, nada que é iniciado torna-se vão, não existem obstáculos, e mesmo um pouco dessa forma de piedade protege a pessoa de grandes perigos.

Neste caminho, ó Descendente de Kuru, os estados mentais daqueles que não têm um entendimento firme são muitos ramificados e intermináveis. O estado de espírito consistindo em firme compreensão sobre a contemplação constante não pertence àqueles, ó Filho de Pritha, que estão fortemente ligados a prazeres e poderes mundanos, e cujas mentes são afastadas por essa conversa florida que está cheia de ordenanças de atos específicos para a realização destes prazeres e poderes. Aqueles se deixam levar por frases floridas e jamais logram a determinação única, que conduz o homem ao samadhi.

O domínio dos Vedas se circunscreve meramente aos efeitos dos três gunas. Você, Arjuna, deve superar esses efeitos das três qualidades e estar livre dos pares de opostos, sempre preservar a coragem, estar livre de ansiedade por novas aquisições ou proteção de antigas aquisições e ser autocontrolado. Para o Brâmane instruído, há nos Vedas tanta utilidade quanto em um reservatório para o qual as águas fluem de todos os lados. Seu dever é com a ação por si e não com os frutos. Não deixe que o fruto da ação seja o motivo para agir. Não deixe que seu apego se fixe na inatividade. Tendo recorrido à devoção, ó Dhanañgaya, realiza ações, removendo todo apego. Sendo equânime no sucesso ou no insucesso, tal postura é chamada de devoção. Ação, ó Dhanañgaya, é muito inferior à devoção da mente. Nessa devoção, procura um abrigo. Miseráveis são aqueles cujo motivo para agir é o fruto da ação. Aquele que obteve devoção neste mundo rejeita tanto o mérito quanto o pecado. Portanto, aplique-se à devoção, devoção em todas as ações é sabedoria. Os sábios que obtiveram devoção expulsaram o fruto da ação e, liberto das algemas de nascimentos repetidos, repousa naquele lugar onde não há infelicidade. Quando sua mente tiver atravessado para além da mancha da ilusão, então você se tornará indiferente a tudo o que ouviu ou ouvirá. Quando sua mente, confusa pelo o que ouviu, permanecer firme na contemplação, então você adquirirá devoção.

Arjuna disse:

— Quais são as características, ó Kesava, de alguém cuja mente é estável e que está fixa em contemplação? Como mentes estáveis devem falar, como se sentam, como se movem?

A Divindade disse:

— Quando um homem, ó filho de Pritha, abandona todos os desejos de seu coração e está satisfeito em si mesmo e por si mesmo, ele é então chamado de uma mente estável. Aquele cujo coração não está agitado no meio de calamidades, que não tem saudade de prazeres, e de quem os sentimentos de afeto, medo e ira partiram, é chamado de sábio da mente estável. Sua mente é firme, está sem apegos em qualquer lugar, e não sente exultação e nenhuma aversão em encontrar as várias coisas agradáveis e desagradáveis deste mundo. A mente de um homem é estável quando ele retira seus sentidos de todos os objetos de sentido, como a tartaruga recolhe seus membros para dentro do casco.

Objetos dos sentidos recuam de uma pessoa que é abstinente, mas não o desejo por eles. Mas até o desejo se afasta dele quando ele vê o Supremo. Os sentidos barulhentos, ó filho de Kunti, são carregados pela força da mente até mesmo de um homem sábio. Restringindo todos eles, um homem deve permanecer engajado em devoção, fazendo de mim seu único refúgio, pois sua mente é firme e seus sentidos estão sob controle. O homem que pondera sobre objetos dos sentidos forma um apego; gera, a partir do apego, um produto de desejo; e do desejo, a raiva é produzida; e da raiva resulta falta de discriminação. Da falta de discriminação, segue-se a confusão da memória, da confusão da memória, perda da razão e, em consequência, o homem perece. Mas o homem autocontido, que se move entre objetos com os sentidos sob controle e livre de afeto e aversão, obtém tranquilidade. Quando há tranquilidade, todas as suas misérias são destruídas, pois a mente daquele cujo coração está tranquilo logo se torna estável. Aquele que não é autocontido não tem firmeza da mente e não persevera na busca do autoconhecimento. Não há tranquilidade para aquele que não persevera na busca do autoconhecimento; e como pode haver felicidade para quem não é tranquilo? Para o coração que segue os sentidos divagantes, estes levam embora seu julgamento como o vento leva um barco desviado sobre as águas. Portanto, ó ser de braços poderosos, sua mente é uma constante cujos sentidos são controlados de todas as formas dos objetos dos sentidos. O homem autocontido está acordado enquanto é noite para todos os seres, e enquanto todos os seres estão acordados, essa é a noite do sábio que vê direito. Ele, em quem entram todos os objetos do desejo, tal como as águas entram no oceano, e que, embora reabastecido, ainda mantém sua posição impassível, então obtém tranquilidade, e não aquele que deseja objetos do desejo. O homem que, afastado de todos os desejos, vive livre de apegos, que está livre do egoísmo e da sensação de que isso ou aquilo é meu, obtém tranquilidade. Este, ó filho de Pritha, é o estado brâmico. Ao alcançar isso, nunca se iludirá, e permanecendo neste estado nos últimos momentos, atinge-se brahma-nirvâna, a felicidade brâmica.

Capítulo III

Arjuna disse:

— Se, ó Ganârdana, a devoção é considerada por você como superior à ação, então por que, ó Kesava, você me leva a esta ação temerosa? Você parece, de fato, confundir minha mente com palavras intrincadas. Portanto, declare algo determinado, pelo qual eu possa alcançar o bem supremo.

A Divindade disse:

— Ó nobre príncipe, eu já declarei que neste mundo há um caminho duplo — o dos sankhyas, no qual se faz através da devoção na forma do verdadeiro conhecimento; e o dos iogues, feito pela devoção na forma da ação. Um homem não consegue se libertar da ação simplesmente por não a empreender, nem mesmo atinge a perfeição por mera renúncia. Ninguém nunca permanece, nem mesmo por um instante, sem realizar alguma ação, já que as qualidades da natureza restringem a todos. O homem iludido que, restringindo os órgãos de ação, continua a pensar em sua mente sobre objetos dos sentidos, é chamado de hipócrita. Mas ele, Arjuna, que restringe seus sentidos pela mente e está livre de apegos, engajando-se na devoção através da forma da ação, com os meios de ação, é muito superior. Você realiza ação prescrita, pois a ação é melhor do que a inação, e o sustentação do seu corpo, também, não pode ser realizado com inação. Este mundo é acorrentado por todas as ações, exceto as ações com o propósito do sacrifício. Portanto, ó filho de Kunti, você deve realizar a ação para esse fim. O Criador, tendo nos velhos tempos criado homens junto com o sacrifício, disse: "Pela adoração e pelo sacrifício mútuo, vocês crescerão e se multiplicarão. Pela resignação, obterão as coisas que desejam. Agradando um ao outro, vocês alcançarão o bem mais alto. Para os que são nutridos com os sacrifícios, os deuses lhe darão os prazeres que desejam. E aquele que se diverte sem dar-lhes o que eles deram, é, de fato, um ladrão. Os bons, que comem aquilo que restou de um sacrifício, são libertos de todos os pecados. Mas os injustos, que preparam o alimento apenas para si mesmos, incorrem no pecado. A partir do alimento nascem todas as criaturas, da chuva vem a produção de alimentos e a chuva é produzida por sacrifícios. Os sacrifícios são o resultado da ação e saiba que a ação tem sua fonte nos Vedas, que vêm do Indestrutível.

Portanto, os Vedas que tudo compreendem estão sempre preocupados com sacrifícios. As ações procedem da Vida Una que tudo penetra. ó filho de Pritha; o homem que está ligado apenas a si mesmo, que está satisfeito em si mesmo, leva a vida de forma vã. Ele não tem nenhum interesse no que é feito e nem no que não é feito. Portanto, sempre realize a ação que deve ser realizada, sem apego. Para um homem, realizar a ação sem apego, leva-o a atingir o Supremo. Somente por meio da ação, Ganaka e os outros trabalharam pela perfeição. E pela manutenção das pessoas e seus deveres, a ação deve ser realizada. O que um grande homem faz, outros homens também fazem. Elas o seguem como uma autoridade. Não há nada, ó filho de Pritha, para eu fazer em todos os três mundos, nada para adquirir que não foi adquirido. Ainda assim, eu me envolvo em ação. Se eu não realizasse ações, esses mundos seriam destruídos e eu seria

a causa da ruína da humanidade. Não deves confundir, ó descendente de Bharata, o apego à ação. Dessa forma, um homem sábio deve agir sem apego, pela causa do bem comum e conforme a Lei Universal.
Um homem sábio não deve abalar as convicções dos ignorantes que estão ligados às obras, mas agir com devoção. Ele mesmo deve fazê-los, aplicar-se a toda ação. A mente que está iludida pelo egoísmo pensa em si como aquele que faz as ações que, em todos os sentidos, são feitas pelas qualidades da natureza. Mas ele, ó ser de braços poderosos, que sabe a verdade sobre a diferença de qualidades e a diferença das ações, não forma ligações, pois acreditam que as qualidades lidam com elas mesmas. Mas aqueles que estão iludidos pelas qualidades da natureza formam apegos às ações das qualidades. Um homem de perfeito conhecimento não deve abalar esses homens de conhecimento imperfeito, em suas convicções. Dedique todas as ações a mim com uma mente, conhecendo a relação do Eu Supremo e individual. Engaje-se nas batalhas com o desejo, sem qualquer sentimento de que isso ou aquilo seja seu, e sem qualquer problema mental. Mesmo aqueles homens que sempre agem de acordo com minha opinião, cheios de fé, mas sem preparo, são libertados de todas as ações. Mas aqueles que conhecem minha opinião e não agem sobre ela, sabem que são desprovidos de discriminação, iludidos no que diz respeito a todo o conhecimento, e arruinados. Mesmo um homem de conhecimento age de acordo com sua própria natureza. Todos os seres seguem a natureza. Qual será o efeito de contenção? Todo sentido tem suas afeições e aversões em relação aos seus objetos fixos. Não se deve ficar sujeito a eles, pois eles são adversários. O próprio dever, embora falho, é melhor do que o dever do outro bem

executado. A morte na execução do próprio dever é preferível; o desempenho do dever de outros é perigoso.

Arjuna disse:

— Mas por quem, ó descendente de Vrishni, o homem é impelido, constrangido pela força, mesmo que não queira, a cometer o pecado?

A Divindade disse:

— É o desejo, é a ira nascida da qualidade da paixão. É muito voraz, muito perverso. Saiba que esse é o inimigo neste mundo. Como o fogo é envolto pela fumaça, um espelho por poeira, o feto pelo útero, assim o conhecimento é envolto pelo desejo. O conhecimento, ó filho de Kunti, é envolto pelo eterno inimigo do homem que busca conhecer que, na forma de desejo, é como um fogo insaciável. Diz-se que os sentidos, a mente e a razão são sua morada; por meio destes, o desejo ilude o eu incorporado e obscurece o conhecimento. Portanto, ó chefe dos descendentes de Bharata, primeiramente busque conter seus sentidos e, em seguida, lance fora esta coisa perversa que destrói o conhecimento e a experiência. Foi dito, "grandes são os sentidos, mas maior do que os sentidos é a mente, e maior do que a mente é a razão. E maior do que a razão é Ele (Atman). Assim, sabendo o que é maior do que a razão e restringindo seu eu pelo Eu Real, ó ser de braços poderosos, destrua este inimigo incontrolável na forma do desejo.

Capítulo IV

A Divindade disse:

— Neste eterno sistema de devoção, eu ensinei este Ioga à Vivaswata. Vivaswata o ensinou à Manú e Manú à Ikshvaku. Assim, pouco a pouco, este Ioga tornou-se conhecido pelos sábios reais. Mas, ó terror de seus inimigos, essa devoção foi perdida no mundo por muito tempo. Essa mesma devoção primordial eu declarei hoje a você, que é meu devoto e amigo, pois este é o mistério supremo.

Arjuna disse:

— Você nasceu muito depois de Vivaswata. Dessa forma, como entenderei que falou deste Ioga em um passado remoto?

A Divindade disse:

— Passei por muitos nascimentos, ó Arjuna, e você também. Eu conheço todos eles, mas você, ó terror de seus inimigos, não é consciente deles. Ainda que eu seja inesgotável e não nascido em minha essência; mesmo sendo o Senhor de todos os seres, ainda assim eu assumo o controle da minha própria natureza e venho à existência por meio do meu poder ilusório. Sempre, ó descendente de Bharata, que a piedade definha e a impiedade está em ascensão, eu mesmo me crio. Nasci era após era, para proteção dos bons e destruição dos malfeitores, e para estabelecer a piedade. Aquele que verdadeiramente conhece assim meu nascimento divino e obra, abandona este corpo e não nasce de novo; ele vem até mim, ó Arjuna. Muitos dos quais foram libertos da paixão, do medo e da ira, estão cheios de mim, dependem de mim, foram purificados pela penitência do conhecimento e uniram-se à minha essência. Eu sirvo aos homens que se aproximam de mim. Em todos os sentidos, ó filho de Pritha, os homens seguem meu caminho. Desejando o sucesso das ações, os homens neste mundo adoram as divindades, pois neste mundo de mortais, o sucesso produzido pela ação é logo obtido.

A divisão das quatro castas foi criada por mim de acordo com a divisão de qualidades e deveres. Mas, embora eu seja seu autor, saiba que sou imutável e não o ator. Ações não me contaminam. Não me apego ao fruto de ações. Aquele que me conhece dessa forma não está preso às ações. Sabendo disso, os homens antigos que desejavam a emancipação final a realizaram através da ação. Portanto, realiza também a ação como era feito por homens de antanho. Até os sábios ficam confusos quanto à ação e a inação. Portanto, falarei com você sobre a ação e, aprendendo, será libertado do mal.

Deve-se possuir conhecimento sobre ação, deve-se também possuir conhecimento sobre a ação proibida, e novamente deve-se possuir conhecimento sobre a inação. A verdade sobre a ação é obscura. Aquele que possui devoção, realiza todas as ações e vê inação na ação e ação na inação, este é um sábio entre os homens. Os sábios o chamam de erudito, alguém que alcançou a autorrealização, cujos atos são todos livres de desejos e fantasias, e cujas ações são queimadas pelo fogo do conhecimento. Abandonando todo o apego ao fruto da ação, sempre satisfeito, livre de toda dependência, ele não faz nada, embora se envolva na ação. Desprovido de expectativas, controlando a mente e o eu, e abandonando toda posse, ele não incorre na perversão, pois realiza ações apenas pelo bem do corpo. Satisfeito com os ganhos vindo espontaneamente, mantendo-se acima dos pares de opostos, livre de toda animosidade, é igual no sucesso ou no insucesso. Ele não é acorrentado, mesmo que realize ações. Aquele que é desprovido de apego, que é livre, cuja mente está fixada no conhecimento, e que realiza ação para o propósito do sacrifício, extingue todo o seu Karma.

Brahma é oblação; Brahma (como um instrumento de sacrifício) é oferenda. Brahma está no fogo, e por Brahma é lançado, e Brahma, também, é o objetivo para o qual prossegue aquele que medita em Brahma na ação. Alguns devotos realizam o sacrifício aos deuses, outros oferecem o sacrifício de em si mesmos no fogo de Brahma. Outros ainda oferecem os sentidos, como o sentido de ouvir, e outros, nas chamas da contenção. Já outros oferecem os objetos dos sentidos, como o som, e assim por diante, nos fogos dos sentidos. Alguns novamente oferecem todas as operações dos sentidos e da vida no fogo da devoção por autocontenção, sustentadas pelo conhecimento. Há aqueles que realizam o sacrifício da riqueza, o sacrifício da penitência, o sacrifício da concentração da mente, o sacrifício do estudo védico e do conhecimento e outros são ascetas de votos rígidos. Alguns oferecem o fôlego ascendente para a respiração descendente, e a respiração descendente para a respiração superior da vida, tal como os movimentos das respirações de vida para cima e para baixo, dedicando-se à contenção das respirações de vida. Outros, que se alimentam minimamente, oferecem os sopros de vida nas respirações de vida. Todas estas formas, conversando com o sacrifício, têm seus pecados destruídos pelo sacrifício. Aqueles que se alimentam do que é semelhante ao néctar do sacrifício, alcançam o eterno Brahma. Este mundo não é para aqueles que não realizam nenhum sacrifício. Assim, sacrifícios de vários tipos são estabelecidos nos Vedas. Saiba que todos eles são realizados a partir da ação e, sabendo disso, você será libertado dos grilhões deste mundo. O sacrifício do conhecimento, ó terror de seus inimigos, é superior ao sacrifício da riqueza. Porque toda ação, ó filho de Pritha, é totalmente e inteiramente compreendida no conhecimento, o qual você deve aprender com reverência, perguntas e serviços. Os sábios que alcançaram a verdade ensinarão este conhecimento a você. Tendo aprendido isso, ó filho de Pandu, você não vai cair novamente em ilusão, e por meio disso, você verá todos os seres, sem exceção, primeiro em si mesmo, e depois em mim. Mesmo que você seja o maior pecador de todos os homens pecaminosos, ainda assim atravessará todas as transgressões apenas por meio do barco do conhecimento. Como um fogo bem aceso, ó Arjuna, o combustível se torna cinzas, de modo que o fogo do conhecimento reduz todas as ações às cinzas. Em verdade, neste mundo não há melhor purificador da mente do que o conhecimento. Isto é o que um devoto encontra dentro de si mesmo com o tempo. Aquele que tem fé, cujos sentidos são contidos e que é assíduo, obtém conhecimento. Obtendo conhecimento, ele adquire, sem demora, uma maior tranquilidade. Aquele que é ignorante e desprovido de fé, e cujo eu está cheio de dúvidas, está arruinado. Para aquele que duvida, não há este mundo, nem o outro, felicidade.

Aquele que pelo Ioga renunciou ao resultado das ações, cuja dúvida foi destruída pelo conhecimento e que repousa em seu Ser, não é atado pelas ações. Portanto, ó descendente de Bharata, destrua com a espada do conhecimento essas suas dúvidas que enchem sua mente, e que são produzidas a partir da ignorância. Envolva-se em devoção. Erga-se!

Capítulo V

Disse Arjuna:

— Ó Krishna, você elogia a renúncia à ação, mas também sua realização. Por favor, diga-me com determinação: qual das duas é superior.

Disse o Verbo Divino:

— A renúncia e a ação, ambas conduzem à libertação, mas entre elas, a realização da ação é superior à renúncia da ação.
Ó ser de poderosos braços! Aquele que está livre dos pares de opostos são facilmente libertados de todas as amarras.
Pessoas com pouco esclarecimento, e não os sábios, diferem o sankhyas do ioga. Praticando qualquer deles se alcança o fruto de ambos.
O estado que os sankhyas alcançam é alcançado também pelo karma-iogue. Aquele que vê a compatibilidade entre o conhecimento e a ação abnegada, vê corretamente. Ó ser de poderosos braços, é muito difícil alcançar a renúncia da ação sem haver cumprido a ação abnegada, a devoção. O sábio que se dedica à ação abnegada logo alcança Brahma. Aquele que se dedica a esta ação com a mente pura, que controla seu corpo e seus sentidos e cujo ser é parte do Todo, ainda que realize a ação, não se torna impuro. O abnegado, conhecedor da Realidade, pensa: "Eu não faço nada", ainda que veja, ouça, toque,

cheire, coma, caminhe, durma, respire, fale, defeque, pegue objetos, abra e feche os olhos, pois sabe que são os diferentes sentidos que se relacionam com seus respectivos objetos.
Aquele que dedica todas suas ações ao Divino sem apego, não se enxarca de pecado, mas assemelha-se à folha de lótus, que sempre está na água, mas sem molhar-se. O homem abnegado, que renuncia ao apego, atua com o corpo, mente, intelecto e sentidos para purificar sua mente. O homem equilibrado, ao renunciar o fruto da ação, alcança a suprema paz. Em oposição, aquele que carece de equilíbrio e cuja ação é impelida pelo desejo, permanece preso por seu apego à origem da ação.
Aquele que controlou seus sentidos, ao renunciar a ação pelo discernimento, sente-se feliz na cidade de nove portas — o corpo — e não age, nem faz ninguém agir.
O Senhor não é causa das ações, nem a união com os frutos das ações. Tudo isto é obra da natureza. O Senhor onipresente não aceita o pecado nem a virtude de ninguém. Quando o conhecimento está envolto em ignorância, os seres caem na ilusão. Mas, para aqueles cuja ignorância foi destruída pelo conhecimento do Ser, tal conhecimento, como o Sol, lhes revela o Supremo.
Os seres, cujos intelectos estão imbuídos do Supremo, que se identificam com Ele, que tomaram refúgio Nele, e cujas impurezas foram limpas através do conhecimento, alcançam o estado de não retorno, no momento em que seus pecados são destruídos pelo conhecimento. Com a mesma equanimidade o sábio considera um brâmane, ou uma vaca, um elefante, um cão e um selvagem. Os homens sensatos, mesmo nesta vida, conquistam a existência relativa e, como Brahma é perfeito e igual para todos, eles se estabelecem em Brahma.

Aquele que conhece Brahma e que está estabelecido Nele, cuja mente não tem mais ilusões ou dúvidas, não se satisfaz ao receber objetos agradáveis nem se aflige quando recebe objetos desagradáveis. A mente que não tem mais apego aos objetos externos dos sentidos alcança a bem-aventurança do Ser Supremo e se identifica com Brahma. Estando absorto Nele, goza da bem-aventurança eterna.

Os prazeres que nascem dos objetos sensoriais, e que tem princípio e fim, são, em realidade, a causa do sofrimento. Por isso, ó filho de Kunti, os sábios não se deleitam neles. Nesta mesma vida, antes de deixar o corpo, aquele que resiste aos impulsos do desejo e da ira, está estabelecido na devoção e é bem-aventurado. O devoto cuja felicidade é interna, cujo regozijo é interno, cujo conhecimento é interno, se identifica com Brahma e alcança as bênçãos de Brahma.

Os rishis, os antigos sábios que compuseram os Vedas, cujas imperfeições se esgotaram, cujas dúvidas foram dissipadas, que alcançaram o controle mental e se dedicam ao bem-estar de todos, recebem as bençãos de Brahma. Os yatis, que se dedicam à vida espiritual, que estão livres da paixão e ira, cuja mente está controlada, permanecem absortos em Brahma aqui e no além.

Excluindo a percepção dos objetos externos, fixando o olhar entre as sobrancelhas e movimentando dentro das fossas nasais o prana e apana — as forças que regem a exalação e inalação —, controlando os sentidos, a mente e o intelecto, estando livre do desejo, medo e ira, o indivíduo liberta-se para além do nascimento e da morte.

Quem me conhece como o aquele que desfruta de todos os sacrifícios e penitências, o grande Senhor de todos os mundos e o amigo de todos os seres, alcança a tranquilidade.

Capítulo VI

Disse o Senhor:

— Aquele que cumpre com seu dever e não deseja o fruto de suas ações é um devoto e um renunciante; tal não é o homem que não trabalha nem cuida do sagrado fogo. Saiba, ó Arjuna, que o que é chamado de renúncia é idêntico à devoção, porque ninguém pode ser um devoto sem renunciar ao desejo. Para o sábio que quer ser um devoto, a ação é o meio, enquanto para o devoto, para aquele que está estabelecido na devoção, a tranquilidade deve ser o meio. Quando já não se tem apego aos objetos sensoriais e nem às ações, diz-se que se alcançou a devoção.

O homem deve elevar-se por si e nunca se rebaixar, porque é amigo de si mesmo, porém, é também inimigo de si. Para aquele que conquistou a si mesmo, seu ser é seu amigo, enquanto para aquele desprovido de controle, seu próprio ser é seu inimigo. O homem sereno e de autocontrole sempre está absorto no Supremo, se mantém igual no calor e no frio, no prazer e na dor, na honra e na desgraça. Um devoto bem estabelecido é aquele que obteve a satisfação através do conhecimento e pela ação, que é firme em sua convicção, tem seus sentidos controlados e considera de igual valor um punhado de terra, uma pedra e uma peça de ouro. Sobressai aquele que tem igual consideração para com o amigo, o benfeitor, o inimigo, o neutro, o mediador, aquele que odeia, o parente, o bom e o mau. Com seu corpo e mente dominados, livre de desejos e de bens, vivendo sozinho e retirado, o devoto deve praticar constantemente a concentração mental.

Em um lugar limpo, deve ser preparado um assento nem muito alto nem muito baixo, e depois de cobri-lo com erva kusha, pele de cervo e um lenço para sentar-se. Em seguida, controlando as atividades sensoriais e mentais através da concentração, deve praticar a devoção para que seja alcançada a purificação mental. Mantendo as costas, o pescoço e a cabeça firmes e endireitados, deve-se fixar o olhar na ponta do nariz sem olhar em outra direção e, em seguida, de forma serena e sem medo, aderindo às regras de Brahmakârins, praticando disciplina mental e pensando sempre em mim como sua suprema meta, deve permanecer absorto em Mim. Desta maneira, através da constante concentração, o devoto alcança um absoluto domínio sobre sua mente e sua paz culmina no Nirvana, na união comigo.

Ó Arjuna, aquele que come muito ou come pouco, ou aquele que dorme muito ou dorme muito pouco, não alcança a devoção. Aquele que é moderado na comida, na recreação, na ação, no sono e na vigília, alcança a devoção, destruindo assim o sofrimento. Quando a mente bem controlada repousa apenas no Ser Supremo e está livre do desejo por prazeres, então se diz que alcançou a devoção. A chama estática de uma vela em um lugar sem vento é o exemplo da mente controlada de um devoto que praticou a concentração no Ser Supremo. O estado no qual a mente permanece quieta como consequência da prática da concentração e no qual se goza de seu próprio Ser, mediante o intelecto, realizando a bem-aventurança infinita que está além de toda percepção sensorial, é chamado de devoção. Estabelecendo-se Nele, não se afasta da Realidade, alcançando-o e fazendo com que todo o resto pareça ínfimo. Quando se está firme neste estado, mesmo os maiores sofrimentos não podem desestruturá-lo. Esta devoção, que não tem nenhum contato com o pesar, deve ser praticada com ânimo e convicção.

Abandonando todos os desejos nascidos da fantasia e impedindo, apenas com a mente, que os sentidos se dirijam aos objetos em todas as direções e, com o intelecto regulado pela concentração, pouco a pouco, deve-se fixar a mente no Ser e não pensar em nada. Não se deve pensar em outra coisa. Em qualquer parte que essa intranquila e vacilante mente se encontre vagando, faz-se necessário frear seus movimentos para trazê-la sob o domínio do Ser. A bem-aventurança suprema chega ao devoto identificado com Brahma, cuja atividade se aquietou, cuja mente está tranquilizada e cujas paixões estão sossegadas. O devoto que é completamente livre dos resquícios do apego e que constantemente controla a mente dessa maneira, com facilidade alcança a bem-aventurança infinita através do contato com Brahma. Aquele cuja mente está absorta pela prática da devoção e é equânime vê o Ser Supremo em todos os seres e todos os seres em seu próprio Ser.

Aquele que me vê em tudo e vê tudo em mim não me perde nunca e eu não o abandono jamais. Aquele que está unido com todos adora a Mim, pois resido em todos os seres, e, independentemente de qualquer que seja sua ocupação, este devoto vive em Mim. Ó Arjuna, o melhor devoto é aquele que considera o prazer e a dor de todos os seres como se fossem seus.

Disse Arjuna:

— Ó Senhor de Madhu[1], esta devoção que você descreve como equanimidade, eu não entendo como pode ser permanente, devido à não tranquilidade da mente.

1 Krishna

Pois a mente, ó Krishna, é intranquila, turbulenta, poderosa e determinada. Parece-me difícil controlá-la tanto quanto dominar o vento.

Disse a Divindade:

— Sem dúvida, ó senhor de braços poderosos, a mente é intranquila e difícil de controlar. No entanto, ó filho de Kunti, ela pode ser controlada através da prática constante e do desapego aos objetos mundanos.
Minha opinião é de que a pessoa cuja mente não está controlada dificilmente alcança esta devoção, ao contrário, o homem que tem autocontrole, que faz o esforço segundo os meios aconselhados, pode lográ-lo.

Disse Arjuna:

— O que acontece a uma pessoa que tem fé, mas que não tem determinação e nem consegue alcançar a perfeição na devoção devido ao fato de que sua mente vaga por toda parte? Ó Krishna, senhor de poderosas armas, quando perdidos no caminho de Brahma, caindo de ambos os lados e sem orientação, não perecerão como uma pequena nuvem desprendida? Ó Krishna, peço que tire de mim esta dúvida, porque ninguém mais pode fazê-lo.

Disse Krishna:

— Ó filho de Prîtha, não há destruição para esse homem neste mundo nem no próximo, meu caro amigo, porque um benfeitor jamais termina mal. Aquele que caiu da devoção alcança os mundos daqueles que realizam atos meritórios. Depois de viver ali durante longo tempo, renasce em uma família de pessoas prósperas e puritanas. Ou renascem em uma família

de homens santos e ilustres, ainda que um nascimento assim é muito difícil de se conseguir.
Ali, ele entrará em contato com o conhecimento adquirido na vida passada e se esforçará ainda mais que antes para alcançar a perfeição. Esse homem ainda é conduzido à sua meta através de suas práticas anteriores. Mesmo um mero investigador sobre a devoção é superior aos que fazem cultos. Certamente o devoto que pratica com perseverança se purifica de suas faltas e se aperfeiçoa durante várias vidas. Ao final, conquista a meta suprema. O devoto é considerado superior aos penitenciosos, aos homens de conhecimento e as pessoas de ação. Por isso são devotos.
Ó Arjuna! torne-se um devoto. Mesmo entre todos os devotos, aquele que, estando cheio de fé, me adora e coloca seu mais íntimo interesse em mim, é considerado por mim o mais devoto de todos.

Capítulo VII

Disse a Divindade:

— Ouve, ó filho de Pritha, sem que duvide de mim, mas devotando-se e fixando sua mente. Toma a mim como refúgio para que possa conhecer-me plenamente sem quaisquer dúvidas. Falarei exaustivamente sobre este conhecimento e o método de sua realização. Conhecendo-os, nada mais haverá por conhecer neste mundo.

Entre milhares de homens, apenas alguns tentam chegar à perfeição, e entre os que tentam, possivelmente apenas um a alcança e, entre os perfeitos, talvez somente um me conheça perfeitamente. A terra, a água, o fogo, o ar, o espaço, a mente, o intelecto e o ego são as oito categorias em que está dividida a minha prakriti[2]. Mas existe uma forma inferior da minha natureza. Distinta dela, ó ser de poderosos braços, saiba que há minha outra natureza, superior, que é animada e que sustenta este universo. Saiba que elas (as duas prakritis) são como as matrizes de todos os seres, enquanto eu sou o produtor e o destruidor de todo o universo. Ó Dhanañgaya, nada existe acima de mim. Tudo isto existe em mim, como pérolas unidas por um cordão. eu sou o sabor das águas, o esplendor da Lua e do Sol, sou o sagrado OM dos Vedas, o som do espaço e o valor do homem. Sou a fragrância da terra, o brilho

2 A natureza objetiva, entendida como ilusória (N. da T.)

no fogo, a vida de todos os seres e a penitência para quem pratica a penitência. Saiba, ó Partha, que sou a semente eterna de todos os seres, sou o discernimento dos que discernem, e a glória dos gloriosos, bem como a força desacompanhada de afeto ou de desejos fortes. Ó melhor dos Bharatas, entre todos os seres, eu sou o amor que não se opõe à piedade.

Todas as entidades que possuem a qualidade da bondade e aquelas que têm a qualidade da paixão e das trevas, saiba que são, de fato, todas minhas. Eu não estou nelas, mas elas estão em mim. Unicamente de mim se originam os estados serenos, ativos e inertes, mas eu não estou neles, ainda que eles estejam em mim[3]. O universo inteiro está iludido por estes três estados, desenvolvidos a partir das qualidades, e não me conhece, pois estou além delas e sou inesgotável. Esta minha ilusão, desenvolvida a partir das qualidades, é divina, mas difícil de transcender e só os que se refugiam em mim podem fazê-lo.

Homens desprovidos de discernimento devido à força de maya[4] e do estado de mente demoníaco, assim como os mais ignorantes e cruéis entre os homens, não tomam refúgio em mim.

Ó Arjuna, existem quatro tipos de pessoas que fazem boas ações: aquele que está aflito, aquele que está buscando conhecimento, aquele que deseja riqueza, e, ó chefe dos descendentes de Bharata, aquele que tem conhecimento. Entre eles sobressai o sábio que dedica devoção a um único ser. Este me utiliza como objetivo sabendo que não existe nada superior. Ao final de muitas vidas, o sábio se refugia em mim, acreditando que tudo isto é Vasudeva[5]. Mas, raramente se encontra um sábio assim.

3 Deus é onipresente e contém a todos (N. da T.)
4 A divina ilusão (N. da T.)
5 O Ser universal (N. da T.)

Aqueles que, carentes de discernimento devido aos diversos desejos e por seguir cultos distintos, que adoram aos devas[6], são controlados por sua própria natureza. Qualquer que seja a forma da divindade que o devoto queira adorar com fé, eu faço sua fé firme. Dotado dessa fé, o devoto adora ao seu deva preferido, que lhe outorga os dons. Mas em realidade, sou eu quem os confere. Mas o dom que alcançam estas pessoas de pouco entendimento é perecível. Os que adoram aos devas vão a eles, mas meus devotos vêm a mim.

Sem conhecer minha suprema natureza que é imutável, transcendental e que não se manifesta, aqueles que não discernem me consideram como manifestado (igual a qualquer mortal). Cercado pelo poder místico de maya, não sou manifesto para todos. Este mundo não sabe que sou imutável e que não tive nascimento. Eu conheço, ó Arjuna, a todos os seres que foram, estão e serão, mas ninguém conhece a mim. Ó Bhárata, destruidor dos inimigos, todos os seres ao nascer ficam iludidos pelos pares de opostos [7], que surgem do desejo e da aversão. Mas as pessoas de atos meritórios, cujos pecados terminaram e que estão livres dos pares de opostos, com boa reSolução, me adoram, libertando-se das delusões, tornando-se firmes em suas crenças.

Aqueles que, refugiando-se em mim, lutam para liberar-se da velhice e da morte, conhecem também Brahma, todo o Adhyâtma e as ações. E aqueles que me conhecem com o Adhibhûta, o Adhidaiva e o Adhiyagña, tendo mentes dedicadas à abstração, me conhecem no momento da partida deste mundo.

6 Seres celestiais (N. da T.)

7 Percepções de calor e frio etc. (N. da T.)

Capítulo VIII

Disse Arjuna:

— Ó melhor dos seres, o que é Brahma? O que é Adhyâtma? O que é a ação? O que é chamado de Adhibhûta[8]? Quem é o Adhiyagña no corpo e como atua? Além disso, como os homens de autocontrole o conhecem no momento de morrer?

— Brahma é o Indestrutível e é o Supremo. Sua manifestação é Adhyâtma. Aquilo que é causa da produção e desenvolvimento de todas as coisas, chama-se ação. O Adhibhûta são todas as coisas que perecem. O Adhidaivata é o ser primal. E o Adhiyagña, ó melhor dos seres encarnados, sou eu mesmo neste corpo.

Aquele que, no momento da morte, recorda a mim, alcança a minha essência. Se um homem, no momento da morte, pensa em qualquer deva, por estar constantemente absorto nele durante sua vida, vai a ele quando deixa o corpo. Portanto, pense constantemente em mim e lute suas batalhas. Mantendo sua mente e intelecto absortos em mim, sem dúvida me alcançará.

Aquele que pensa no Ser Divino Supremo, ó filho de Pritha, com uma mente que não se volta para outros objetos, e é possuidor de abstração na forma de meditação contínua sobre o Supremo, alcança-O. Aquele que tem reverência pelo Ser Su-

8 O substrato dos elementos (N. da T.)

premo com uma mente firme e cheia de devoção, fixa o prana entre as sobrancelhas pelo poder da devoção, medita sobre o onisciente e primordial Ser, o governador e dispensador de tudo, que também é o mais sutil que o átomo e o suporte de todos, cuja forma é inconcebível e resplandecente como o Sol, que está além da ignorância, depois de deixar o corpo, chega ao Ser Supremo e Luminoso.

Agora eu lhe contarei brevemente sobre o caminho do Espírito Eterno, que aqueles que conhecem os Vedas declaram ser indestrutível, que é penetrado pelos que abandonaram todos os desejos, pelos ascetas e por todos aqueles que adotaram uma vida santa e que, para tanto, seguem o modo de vida dos Brahmakârins. Aquele que deixa o corpo e parte deste mundo, interrompendo todas as passagens e confinando a mente dentro do coração, colocando o fôlego vital na mente e aderindo à meditação ininterrupta, repetindo a única sílaba OM, a qual significa o eterno Brahma, e meditando em mim, alcança o objetivo mais elevado.

Ó Filho de Prîtha, sou facilmente acessível ao devoto que é constante em suas práticas e que recorda de mim continuamente todos os dias sem pensar em outras coisas. As grandes almas, depois de chegarem a mim, não estão mais sujeitas ao renascimento, que é a morada do pesar e de tudo que é transitório, pois já alcançaram a mais alta perfeição.

Todos os mundos, ó Arjuna, incluindo a esfera de Brahma, estão sujeitos ao renascimento. Mas, ó Filho de Kunti, não renascem mais os que chegam a mim. Os conhecedores do dia e da noite sabem que um dia ou uma noite de Brahma é equivalente a mil eras. Quando amanhece o dia de Brahma todos os seres provenientes do não manifestado se manifestam e

no advento da noite eles se dissolvem nesse mesmo princípio chamado de não percebido.
Essa multidão de seres que nasce e renasce é absorvida quando chega a noite e, ao amanhecer, aparecem de novo inexoravelmente. Por trás desta existência não manifestada existe outro ser não manifestado e eterno que não perece quando perecem os seres. Chama-se o imperceptível, o indestrutível, ou a meta mais elevada. Atingindo-a, ninguém retorna. Essa é minha morada suprema. Aquele Ser Supremo, ó filho de Pritha, aquele em quem todas essas entidades habitam e que permeia tudo isso, deve ser alcançado por reverência não dedicada a outro. eu indicarei os tempos, ó descendente de Bharata, para onde os devotos que partem deste mundo vão, para nunca mais voltar.
O fogo, a chama, o dia, a quinzena brilhante, os seis meses do Solstício do norte, ao partir deste mundo nestas condições, aqueles que conhecem Brahma, vão para o Brahma. Já o devoto que parte cercado da fumaça dos erros, na noite da ignorância, na quinzena escura, nos seis meses do Solstício do sul, não podem ultrapassar a esfera da luz lunar, e retorna.
Esses dois caminhos, claro e escuro, são considerados eternos neste mundo. Através de um, o homem vai para nunca mais voltar; através do outro, ele volta. Conhecendo esses dois caminhos, ó filho de Pritha, nenhum devoto é iludido. Portanto, em todos os momentos possua a devoção, ó Arjuna. Um devoto que conhece tudo isso obtém todo o fruto sagrado que é prescrito para o estudo dos Vedas, para fazer oferendas e, também, para realizar penitências e obter bênçãos, e, assim, alcança uma posição elevada e primordial.

Capítulo IX

E então disse a Divindade:

— Agora falarei a você, que não é dado a criticar, sobre aquele mais misterioso conhecimento que, acompanhado da experiência, te libertará do mal. É o conhecimento principal das ciências e entre os mistérios. É o melhor meio para se atingir a santificação. É imperecível e não se opõe à lei sagrada. Deve ser apreendido diretamente e é fácil de ser praticado.

Ó destruidor dos inimigos, aqueles que carecem de fé nesta doutrina retornam a este mundo mortal sem me alcançar. Todo este mundo está interpenetrado por mim de uma forma imperceptível. Todos os seres vivem em mim, mas eu não vivo neles. Tampouco os seres estão em mim. Observe meu divino poder. Ainda que seja eu quem sustenta e produz os seres, ainda assim, meu ser não vive neles. Como a grande e ubíqua atmosfera permanece sempre no espaço, saiba que assim todos os seres vivem em mim.

Na expiração de um Kalpa[9], ó filho de Kunti, todas as entidades entram em minha natureza, e no início de um Kalpa, eu as trago novamente. Dominando a minha própria natureza, projeto inúmeras vezes estes seres sem autodomínio, através do poder natureza.

E estes atos, ó Arjuna, não me prendem, porque permaneço despreocupado e desapegado. A natureza produz o mundo dos obje-

9 Ciclo (N. da T.)

tos inanimados e animados através de mim, e assim, ó Kounteya, o universo segue seu rumo. Quando eu tomo a forma humana, os ignorantes, os inconscientes de minha natureza superior como Supremo Senhor de todos, menosprezam-me. Contudo, as grandes almas de natureza divina me adoram com a mente fixada em mim, sabendo que sou a fonte de todas as entidades. Esforçando-se com firme determinação, saudando-me com reverência, sou adorado através da constante devoção.

Outros, através do sacrifício do conhecimento, adoram a mim como único, mesmo que distinto e onipresente em todas as formas. Eu sou o Kratu, sou o Yagña, sou a Svadhá[10], sou a manteiga derretida para a oferenda, sou o fogo sagrado e sou a oferenda. Eu sou o pai deste mundo, sou a mãe, o avô, a coisa a ser conhecida, o meio de santificação, sou o OM e os Vedas: Rik, Sáman e Yajus. Eu sou o ideal, a sustentação, o senhor, a testemunha, a morada, o refúgio, o amigo, a fonte e aquilo em que se funde, o suporte, o receptáculo e a semente inesgotável.

Eu dou o calor através do Sol, faço chover e paro a chuva, sou a imortalidade e também sou a morte, sou o manifestado e o não manifestado, ó Arjuna. Os conhecedores dos Vedas, purificados de seus pecados, bebendo o santificado Soma, adoram-me para atingir o céu. Alcançando o mundo sagrado do senhor dos deuses, eles desfrutam nas regiões celestiais dos prazeres celestes dos deuses. Ao terminar o período de mérito, o qual gozam no vasto céu, entram de novo neste mundo dos mortais.

Para aqueles homens que me adoram, meditando em mim e em mais ninguém, e que são constantemente devotados, eu concedo novos dons e preservo o que é por eles adquirido. Mesmo esses, ó filho de Kunti, que sendo devotos de outras divindades que ado-

10 Kratu: culto védico; Yagña:culto recomendado pelos textos sagrados; Svadhá: oferendas aos espíritos (N. da T.)

ram com fé, adoram-me apenas irregularmente. Eu sou senhor de todos os sacrifícios e quem os desfruta, porém, eles não me conhecem realmente, por isso regressam a este mundo.

Aqueles que fazem votos para os Manes vão para os Manes, aqueles que adoram os Bhûtas vão para os Bhûtas, e aqueles que me adoram vêm a mim. Se alguém com devoção me oferece uma folha, uma flor ou um pouco de água, aceitarei estas oferendas que vêm de pessoas puras. Qualquer coisa que faça, ó filho de Kunti, coma, sacrifique ou dê a alguém, qualquer austeridade que pratique, ofereça-a a mim. Assim você se libertará das amarras dos frutos das ações boas ou más, cujos frutos são agradáveis ou desagradáveis. E com o seu eu possuído por esta devoção e essa renúncia, você será liberado dos laços da ação e virá a mim.

Eu sou o mesmo para todos os seres. Para mim nenhum é odioso, nenhum, querido. Mas aqueles que me adoram com devoção habitam em mim e eu, também neles. Mesmo que um homem muito estouvado me adore, não cultuando mais ninguém, ele certamente deve ser considerado bom, pois está bem resolvido. Ele logo se torna devoto de coração e obtém tranquilidade duradoura. Você pode afirmar, ó filho de Kunti, que meu devoto nunca será arruinado.

Pois, ó filho de Pritha, mesmo aqueles que nasceram em ambientes inferiores, mulheres, Vaisyas e Sûdras igualmente, recorrendo a mim, atingem a meta suprema.

O que, então, precisa ser dito sobre santos brâhmanes e santos reais que são meus devotos? Vindo para este mundo transitório e infeliz, adore-me. Direcione sua mente a mim, torne-se meu devoto, meu adorador. Reverencie-me e, assim, tornando-me seu objetivo mais elevado, e dedicando-se à abstração, você certamente virá a mim.

Capítulo X

Ó ser de braços poderosos, ouve de novo minha palavra suprema. Como você se deleita em ouvi-la, eu a direi para o seu bem. Nem as multidões de deuses, nem os grandes sábios conhecem minha fonte, pois sou, em todos os sentidos, a origem dos deuses e dos grandes sábios. Entre os homens, aquele que sabe que eu não tenho origem ou princípio, e que sou o senhor dos mundos, se liberta de todos os pecados.

A inteligência, o conhecimento, a libertação da ilusão, o perdão, a veracidade, o controle dos sentidos, a felicidade, a infelicidade, a existência, a inexistência, o medo e a segurança, o não causar dano, a equanimidade, a satisfação, a austeridade, a caridade, a fama e a má fama, todas estas qualidades nascem de mim somente.

Os sete grandes rishis[11] e os quatro anciões Manus, cujos descendentes são todas essas pessoas no mundo, nasceram da minha mente, do meu poder. Quem conhece corretamente esses meus poderes e emanações, torna-se um devoto livre de indecisão, disso não há nenhuma dúvida. Os sábios cheios de amor me adoram, acreditando que sou a origem de tudo e que tudo passa por mim. Com a mente e os sentidos absortos em mim, instruindo-se mutuamente a respeito

11 Mestres (N. da T.)

de mim, conversando sobre mim, eles estão sempre felizes e satisfeitos.
A estes que são devotados constantemente e que me adoram com amor, dou o conhecimento pelo qual eles me alcançam. E, permanecendo em seus corações, eu destruo, com a lâmpada brilhante do conhecimento, a escuridão nascida da ignorância em tais homens, através somente da compaixão por eles.

Disse Arjuna:

— Você é o Brahma supremo, o objetivo supremo, o mais sagrado dos santos. Todos os sábios, assim como o sábio divino Narada, Asita, Devala e Vyasa, chamam você de Ser Eterno, Divino, o primeiro Deus, o não nascido, o que tudo permeia. E assim, também, você mesmo me diz, ó Kesava! Eu acredito em tudo isso que você me diz como verdade, pois, ó senhor, nem os deuses nem os demônios entendem sua manifestação. Você só conhece a si mesmo por si mesmo. Ó melhor dos seres, criador de todas as coisas, senhor de todas as coisas, Deus dos deuses, senhor do universo, tenha o prazer de declarar, sem exceção, suas emanações divinas, pelas quais você permeia todos esses mundos. Como o conhecerei, ó senhor do poder místico, sempre meditando em você? E em qual de várias entidades, ó senhor, devo meditar em você? Novamente, ó Ganardana, declare seus poderes e emanações, porque ao ouvir este néctar, ainda não me sinto saciado.

Disse a Divindade:

— Bem, então, ó melhor dos Kauravas, vou declarar a você minhas próprias emanações divinas, mas apenas as principais, já que não há fim para a extensão das minhas emanações. Eu sou o self[12], ó Gudâkesa, assentado no coração de todos os seres. Eu sou o princípio, o meio e o fim de todos os seres. Eu sou Vishnu entre os Âdityas, o Sol radiante entre os corpos brilhantes. Eu sou Marîki entre os Maruts, e a Lua entre as mansões lunares. Entre os Vedas, eu sou o Sâma-veda. Eu sou Indra entre os deuses. E eu sou a mente entre os sentidos. Eu sou consciência nos seres vivos. E eu sou Sankara entre os Rudras, o senhor da riqueza entre Yakshas e Rakshasas.

E eu sou fogo das montanhas entre os Vasus, e Meru. Conhece-me, ó Arjuna, como Brihaspati, o chefe entre os sacerdotes. Eu sou Skanda entre generais. Eu sou o oceano entre reservatórios de água, sou Bhrigu entre os grandes sábios. Eu sou a única sílaba, o OM, entre as palavras. Entre os sacrifícios, eu sou Gapa, o Himalaia entre as montanhas firmemente fixadas, o Asvattha entre todas as árvores e Narada entre os sábios divinos. Sou Kitraratha entre os coristas celestiais, o sábio Kapila entre os Siddhas. Entre os cavalos, saiba que sou Ukkaissravas, gerado pelos trabalhos para o néctar, e Airâvata entre os grandes elefantes.

Sou o governante dos homens entre os homens, o raio entre as armas, Kâmaduk[13] entre as vacas. Eu sou o amor entre os amantes e, entre as serpentes, eu sou Vâsuki. Entre as cobras Nâga eu sou Ananta e sou Varuna entre os seres aquáticos. Sou Aryaman entre os Manes, e Yama entre os governantes. Entre os demônios, também, sou Pralhâda. Eu sou o rei da morte, Kala, o tempo, para os que contam. Entre os animais, eu sou o senhor das feras, e o filho de Vinatâ entre os pássaros. Eu sou

12 Self, ou simplesmente "eu", em outras partes desta tradução, refere-se ao Atman (N. da T.)

13 Símbolo da fertilidade (N. da T.)

o vento entre os que sopram e Râma entre os guerreiros. Entre os peixes, eu sou Makara e, entre os rios, sou o Ganges. Das coisas criadas, eu sou o princípio, o fim e o meio também, ó Arjuna. Entre as ciências, sou a ciência do Adhyâtma; sou o verbo dos oradores.

Entre as letras, eu sou o "A", e entre as palavras compostas, o composto copulativo. Eu mesmo sou o tempo inesgotável e sou o criador cuja face está em todas as direções. Eu sou a morte que tudo destrói e a fonte do que deve renascer. Entre as qualidades femininas, fama, fortuna, fala, memória, intelecto, coragem e perdão. Da mesma forma, entre os hinos de Sâman, eu sou o Brihat-sâman; sou o Gâyatrî entre as métricas dos versos. Eu sou Mârgasîrsha entre os meses, a primavera entre as estações do ano. Das trapaças, eu sou o jogo de dados, assim como sou a glória dos gloriosos, a vitória, sou a consciência, a bondade dos bons.

Eu sou Vasudeva entre os descendentes de Vrishni, e Arjuna entre os Pandavas. Entre os sábios, eu sou Vyasa, e entre os perspicazes, sou Usanas. Sou a vara daqueles que restringem e a política dos que desejam a vitória. Sou o silêncio que respeita os segredos e o conhecimento daqueles que têm conhecimento.

Ó Arjuna, também sou a semente de todas as coisas. Não há nada animado ou inanimado que possa existir sem mim. Ó terror de seus inimigos, não há fim para minhas emanações divinas. Aqui eu declarei a extensão dessas emanações apenas em parte. Qualquer coisa em que haja de poder, ou glória, ou esplendor, saiba que tudo isso pode ser produzido a partir de porções da minha energia.

Mas ó Arjuna, de que servirá conhecer todos estes detalhes? Saiba que eu existo interpenetrando este universo inteiro com apenas uma parte de minha existência.

Capítulo XI

Disse Arjuna:

— Por causa das excelentes e misteriosas palavras sobre a relação da alma suprema e individual que você transmitiu para meu bem-estar, esta minha ilusão se esvaneceu. Ó grande senhor, tudo o que disse é certo e tenho o desejo de ver sua forma divina. Se parece possível, ó senhor, que eu possa vê-lo, então, na forma inesgotável.

Disse a Divindade:

— Ó Partha, veja minhas centenas e milhares de formas divinas de diversas cores e figuras. Veja os Âdityas, Vasus, Rudras, os dois Asvins e Maruts da mesma forma. E, ó descendente de Bharata, veja as inúmeras maravilhas nunca vistas. Dentro do meu corpo, ó Gudâkesa, veja todo o universo, incluindo tudo animado e inanimado, tudo em um, e tudo o mais que você deseja ver. Mas você não será capaz de me ver apenas com este seu olho, por isso, eu lhe dou um olho divino. Agora, então, veja meu poder divino.

Disse Sanjaya:

— Ó rei, depois de dizer estas palavras, Hari, o grande senhor possuídor dos poderes místicos, revelou sua suprema forma divina à Partha, filho de Prîtha. Com muitas bocas e olhos, apresentando diversos e maravilhosos aspectos, adornado com joias celestiais, com numerosas armas celestes em suas mãos, vestido com trajes e guirlandas celestinas, ungido de perfumes do céu, estava o maravilhoso, resplandecente e infinito senhor, com faces em todas as direções. Se a refulgência de mil sóis aparecesse simultaneamente no céu, não poderia ser comparado ao esplendor daquela extraordinária forma. Então, no corpo do Supremo Senhor de Tudo, o Pandava viu o universo inteiro, manifestado em múltiplas formas. Perplexo e estremecido, Dhananjaia juntou as palmas de suas mãos e, saudando ao Senhor com uma inclinação de cabeça, disse o seguinte:

Disse Arjuna:

— Vejo em Seu corpo todos os seres celestiais e inumeráveis seres de diferentes classes. Vejo também Brahma, o Criador, em seu assento de lótus e os rishis e as serpentes celestiais. Vejo você com inumeráveis formas em todas as direções, com múltiplos braços, estômagos, rostos e olhos. Ó Senhor do universo, ó aquele que tem todas as formas, não vejo nem o seu fim, nem o seu meio, nem o seu princípio. Vejo-o em todas as direções, com seu diadema, cetro e disco, como uma massa de luz resplandecente, deslumbrante, incomensurável e com a refulgência do fogo e do Sol. Você é o Imperecível, o Supremo, o que há de conhecer-se. É a suprema meta deste universo, o imortal guardião da religião eterna.

Considero-o o ser primordial, pois vejo que não tem nem princípio, nem meio, nem fim. Sua proeza é infinita, seus braços são inumeráveis, o Sol e a Lua são seus olhos. Vejo o fogo ardente e seu esplendor queima o universo inteiro. O espaço entre o céu e a Terra está interpenetrado por você em todas as direções, e, olhando esta sua maravilhosa e terrível forma, amedrontam-se todos os seres dos três mundos. Aqui entram todos os devas, alguns deles pelo temor e outros por adoração, juntando suas mãos, enquanto os grandes sábios e seres perfeitos cantam sua glória com diversos hinos de louvor. Os Rudras e os Âdityas, os Vasus, os Sadhyas, os Visvas, os dois Asvins, os Maruts e os Ushmapas, e os grupos de Gandharvas, Yakshas, demônios e Siddhas, todos olham para você maravilhados.

Ó ser de poderosos braços, vendo sua incomensurável forma, de inumeráveis bocas, olhos, braços, músculos, pés, estômagos e de enormes dentes, eu e todos estamos aterrorizados. Ó Vishnu, ver a ti tocar o céu e brilhar com diversas cores, com bocas abertas e com grandes olhos de fogo, faz com que eu não consiga reconhecer as várias direções e não sinta segurança. Seja gracioso, ó senhor dos deuses que permeia o universo. Todos os filhos de Dhritarashtra, com hostes de reis, Bhisma, Drona, Karna, o filho do construtor de carruagens e os nossos principais guerreiros, todos estão entrando vertiginosamente em suas mandíbulas com terríveis dentes. Alguns deles, vejo pendurados entre seus dentes, com suas cabeças trituradas.

Como os caudalosos rios fluem até o oceano, assim estes heróis estão entrando em sua temível e ardente boca. Como as mariposas se lançam precipitadamente ao fogo para serem destruídas, assim estes seres alojam-se rapidamente em sua boca só para serem exterminados. E devorando todos, em todas as direções, com suas bocas ardentes, você lambe os lábios. Seu esplendor feroz, ó Vishnu!, enche todo o universo com seu brilho, aquecendo-o. Diga-me quem você é nesta forma feroz. Seja saudado, ó chefe dos deuses! Seja gentil. Desejo conhecer-lhe, ó primevo, porque não compreendo as suas ações.

Disse a Divindade:

— Sou a morte, o destruidor dos mundos, e aqui estou manifestado para destruí-lo. Assim, levante-se e conquiste a glória, vença seus inimigos e desfrute de um reino florescente. Todos eles já foram mortos apenas por mim, ó Savyasachin[14], seja simplesmente meu instrumento. Mate Bhisma, Drona, Karna, Jayadratha e os outros. Todos eles foram mortos por mim, por isso não se aflija e conquiste seus inimigos na batalha.

Disse Sanjaya:

— Ouvindo essas palavras de Kesava, o portador do diadema, tremendo, e com as mãos unidas, curvou-se e, com um nó na garganta, novamente falou com Krishna depois de saudá-lo.

Disse Arjuna:

— É muito apropriado, ó Hrishikesha, que o mundo se deleite em sua glória e reconhecimento. Também é apropriado que os demônios fujam assustados para todas as direções e que todas as assembleias de Siddhas se curvem a você. E por que não iriam saudar-te, ó Grande Alma, superior à Brahma, a primeira causa? Ó você que permeia o universo, você é o indestrutível, o que é, o que não é e o que está além. Você é o Deus Primordial, o Ser Primário, o supremo repositório do universo. Você é aquele que detém o conhecimento, o objeto do conhecimento, o objetivo mais elevado. Este universo é permeado por você, ó ser de formas infinitas!

Você é o vento, Yama, fogo, Varuna, a Lua, você é Pragâpati e o grande antecessor. Reverências a você mil vezes e repetidas

14 "Aquele que maneja o arco com as duas mãos", isto é, Arjuna, o grande arqueiro dos Pandavas (N. da T.)

vezes reverências a ti! Na frente e por trás reverências a ti! Reverências a ti de todos os lados, ó ser que é tudo!
Você é de poder infinito, de glória imensurável. Permeia tudo e, portanto, é tudo! O que quer que eu tenha dito com presunção, por exemplo, "Ó Krishna!", "Ó Yadava!". "Ó amigo!" — pensando que você fosse meu amigo e não conhecendo sua grandeza, como vi em sua forma universal, ou através de amizade, ou descuidadamente, em qualquer desrespeito que eu tenha mostrado a você para fins de diversão, fosse em ocasiões de brincar, dormir, jantar ou ao nos sentarmos juntos, sozinho ou na presença de outros — por tudo isso, ó não degradado, peço perdão a você que é indefinível. Você é o pai dos seres animados e inanimados deste mundo, o adorável, superior aos superiores. Nos três mundos não há ninguém igual a você ou que possa superá-lo, ó ser de poder incomparável!
Portanto, eu me curvo e me prostro, e o propiciarei, louvável senhor. Fique satisfeito, ó Deus amável! Como o pai perdoa ao filho, o amigo ao seu amigo, o que ama ao seu amado, assim, ó senhor, perdoa-me também. Estou repleto de felicidade por ter visto o que jamais havia visto antes, no entanto, minha mente continua agitada pelo medo. Mostra-me a sua outra forma. Ó Deus dos deuses! Ó morada do universo! Tenha piedade.
Ó ser com milhares de braços, toma de novo sua forma de quatro braços. Quero vê-lo com o diadema, a maça e o disco como antes. Ó ser de mil braços! Ó ser de todas as formas! Assuma a sua forma com quatro mãos.

Disse a Divindade:

— Ó Arjuna! estando satisfeito com você, eu, por meu próprio poder místico, mostrei a você esta forma suprema, cheia de glória, universal, infinita, primordial, e que não foi vista antes por ninguém além de você, ó herói entre os Kauravas! Eu não posso ser visto nesta forma por ninguém além de você, mesmo que para ajudar no estudo dos Vedas, ou nos sacrifícios, nem mesmo por oferendas, nem por ações, nem por penitências árduas. Não se assuste, não fique perplexo, ao ver esta minha forma temerosa. Livre de medo e com o coração encantado, veja agora novamente aquela mesma forma anterior.

Disse Sanjaya:

— Tendo falado assim com Arjuna, Vasudeva novamente mostrou sua antiga forma. O Grande Ser, tomando de novo sua bendita forma, alegrou o atemorizado Arjuna.

Disse Arjuna:

— Ó Janardana, vendo sua forma benigna e humana, sinto-me bem e, agora, voltei ao meu estado normal.

Disse a Divindade:

— Realmente é muito difícil ver esta minha forma que você contemplou, mesmo os devas anseiam vê-la. Nem por intermédio dos Vedas, nem pelas austeridades, nem pelos cultos, é possível ver-me na forma em que você me viu. Mas, ó Arjuna, pela exclusiva devoção a mim posso, nesta forma, ser verdadeiramente conhecido, visto e assimilado. Aquele que realiza atos para mim, que me tem como seu objeto mais elevado, que é meu devoto, que é livre de apegos e que não tem inimizade com nenhum ser, este, ó filho de Pandu, vêm até mim.

Capítulo XII

Disse Arjuna:

— Entre os devotos que meditam em seu ser com devoção constante, e aqueles que adoram ao indestrutível e ao não manifestado, quem sabe mais sobre devoção?

Disse a Deidade:

— Considero os melhores devotos aqueles que me adoram e que, possuídos de uma fé suprema, cultuam-me com suas mentes fixas em mim. Mas aqueles que, controlando seus sentidos e mantendo uma mente sempre equânime, meditam no indescritível, indestrutível e no princípio não percebido, o qual é onipresente, inconcebível, imutável e eterno, também chegam a mim. Para aqueles cujas mentes estão apegadas ao imperceptível, o esforço é muito maior. Dessa forma, o objetivo não percebido é obtido pelos seres encarnados com dificuldade.

Quanto àqueles, no entanto, ó filho de Pritha, que, dedicando todas as suas ações a mim e tendo-me como seu mais alto objetivo, adoram-me, meditando em mim com devoção e em ninguém além de mim, e cujas mentes estão fixas em mim, eu, sem demora, aproximo-me como seu libertador deste oceano de existência transmigratória.

Coloque sua mente somente em mim, fixe seu entendimento em mim. Dessa forma viverá em mim. Se não pode fixar sua mente firmemente

em mim, então, ó Dhanañgaya, esforce-se para me alcançar através da abstração da mente, resultante da meditação contínua.
Se até mesmo a meditação contínua for difícil para você, então oferte suas ações a mim. Realizando ações para a mim, você alcançará a perfeição. Se for incapaz de fazer até mesmo isto, refugie-se em mim, e através da autorrestrição, renuncie ao fruto de todas as suas ações. Sem dúvida o conhecimento é superior à meditação contínua, mas a concentração é considerada superior ao conhecimento e a renúncia ao fruto da ação é melhor que a concentração, pois é através da renúncia que se alcança, em breve, a paz.
O devoto que não inveja ninguém, que é amigo e tem compaixão por todos, aquele que não é possessivo e nem egoísta, para quem a felicidade e a miséria são semelhantes, que perdoa, sempre satisfeito, constantemente devotado, autocontrolado e firme em suas convicções e me dedica seu intelecto e sua mente, é um devoto caro para mim. Aquele que não perturba o mundo e a quem o mundo não pode perturbar, que está livre do prazer, da inveja, do medo e da ansiedade, é caro para mim. O devoto que é despreocupado, puro, indiferente, tranquilo e renuncia ao fruto de suas ações, é caro para mim.
Aquele que está cheio de devoção a mim, que não sente alegria nem aversão, que não sofre e não deseja, que abandona tanto o que é agradável quanto o que é desagradável, é caro para mim. Aquele que é igual com o amigo e o inimigo, na honra e na desonra, no calor e no frio, na alegria e na tristeza, no elogio e na censura, que é desapegado e silencioso, que está satisfeito com qualquer coisa, que não tem lar e que tem a mente firme, é caro para mim.
Mas aqueles devotos que, imbuídos de fé e considerando a mim como seu objetivo mais elevado, recorrem a esta sagrada forma para alcançar Meta Suprema, como afirmado, eles são extremamente caros para mim.

Capítulo XIII

Disse a Divindade:

— Este corpo, ó filho de Kunti, é chamado Kshetra, e os sábios chamam kshetragña àquele que o conhece. Ó descendente de Bhárata, saiba também que eu sou o Kshetragña entre todos os Kshetras. Para mim, o conhecimento a respeito do Kshetra e do Kshetragña é o verdadeiro conhecimento. Agora ouça de mim como o Kshetra é, o que é, como é, o que muda e de onde vem e quais são seus poderes, todos cantados de várias maneiras pelos sábios em numerosos hinos, distintamente, e em textos bem estabelecidos e cheios de argumentos, dando indicações ou instruções completas sobre Brahma. Os cinco grandes elementos, o ego, o intelecto, a natureza não manifestada, os dez órgãos, a consciência, os cinco objetos dos sentidos, o desejo, a aversão, a alegria, o sofrimento, o corpo, a inteligência e a fortaleza, tudo isto, em forma breve, é o Kshetra em suas modificações. A ausência da vaidade, a não ostentação, a ausência de maldade, a clemência, a retidão, a devoção ao guru, a pureza, a firmeza, o autodomínio, o desapego aos objetos dos sentidos, a ausência de egoísmo, a reflexão sobre as questões do nascimento, da morte, da velhice, da enfermidade, da dor e do desapego, assim como a ausência da autoidentificação pelo filho, esposa, lar e assim por diante. Também o constante equilíbrio mental na felicidade e no sofrimento, a firme devoção a mim como Ser Supremo, a vida em Solidão, a aversão à assembleia dos homens, a constante dedicação ao conhecimento espiritual e à percepção da suprema verdade, tudo isto é conhecimento e o seu contrário é ignorância.

Assim foi dito o que deve ser conhecido e, conhecendo-se, alcança-se a imortalidade, o mais elevado Brahma, sem começo nem fim, que não pode ser descrito como existente ou inexistente. Suas mãos, pés, olhos, cabeças, bocas e ouvidos interpenetram tudo no mundo.

Este é possuidor de todas as funções dos sentidos, no entanto, é desprovido dos sentidos, desapegado, mas suporta a tudo e, apesar de não ter sentidos, experimenta-os. Está dentro e fora de todos os seres, é móvel e imóvel, sendo sutil é incognoscível e ainda que esteja longe, é o mais próximo. É indivisível, mas está individualmente em todos os seres como o suporte de todos eles e, também, como o que dá origem e o devorador de todos eles. É o esplendor e está além da escuridão. É o conhecimento, o que deve ser conhecido, a meta dos conhecimentos e está no coração de todos os seres.

Assim eu lhe falei brevemente sobre o Kshetra, o conhecimento e o objeto que deve ser conhecido. Conhecendo isto, meu devoto se prepara para chegar ao meu ser.

Conheça a natureza e o espírito, ambos sem começo, e conheça todos os desenvolvimentos e qualidades produzidos a partir da natureza. Diz-se que a natureza é a origem da capacidade de residir no corpo e nos sentidos, e é dito que o espírito é a origem da capacidade de desfrutar prazeres e dores. Pois o espírito unido à natureza desfruta das qualidades nascidas da natureza. E a causa de seu nascimento em úteros bons ou maus é a conexão com as qualidades.

O Espírito Supremo neste corpo é chamado supervisor, conselheiro, sustentador, desfrutador, o grande senhor e o Eu Supremo. Aquele que assim conhece a natureza e o espírito, juntamente com as qualidades, não renasce, embora viva. Alguns, por concentração, veem o eu no eu através do eu; outros, pelo Sankya ioga, e outros ainda pelo Karma ioga. Outros, ainda, não sabendo disso, praticam a concentração, depois de ouvir dos outros. Eles também, sendo dedicados a ouvir, cruzam para além da morte.

Ó melhor dos Bháratas, saiba que todo ser, animado e inanimado, procede da união do Kshetra e do Kshetragña. Vê verdadeiramente quem vê o Senhor Supremo que está em todas as entidades e não é destruído, embora elas sejam destruídas. Pois aquele que vê o senhor habitando em todos os lugares igualmente, não se destrói por si mesmo e então alcança o objetivo mais elevado. Vê verdadeiramente quem vê todas as ações feitas pela natureza e, da mesma forma, o Eu Supremo e não quem faz.

Quando um homem vê todas as entidades como existindo em um, e todos como emanando disso, então ele se torna um com Brahma. Este inesgotável Eu Supremo, sendo sem começo e sem qualidades, não age e não é maculado, ó filho de Kunti, embora more no corpo. Como o espaço onipresente é sutil e não se contamina, assim o ser que está em todos os corpos não é contaminado por eles. Como o Sol, que é único, ilumina ao universo inteiro, assim o Kshetragña, ainda que esteja encarnado, ilumina a todos os Kshetras. Aqueles que, com o olhar do conhecimento, percebem a diferença entre o Kshetra e o Kshetragña, bem a destruição da natureza de todas as entidades, alcançam o Supremo.

Capítulo XIV

Disse a Divindade:

— Falarei novamente a você sobre o Conhecimento Supremo, através do qual os sábios alcançaram a perfeição depois da morte. Aqueles que se dedicaram a este conhecimento, quando chegam ao meu ser, não renascem no momento da criação, nem sofrem no momento da dissolução. O grande Brahma é um útero para mim, no qual lancei a semente. Disso, ó descendente de Bharata, provém o nascimento de todas as coisas. Dos corpos, ó filho de Kunti, que nascem de todos os ventres, o ventre principal é o grande Brahma, e eu sou o pai, o germinador da semente.

Bondade (sattva), paixão (rajas), escuridão (tamas), essas três qualidades nascidas da natureza, ó ser de braços poderosos, atam fortemente o ser encarnado ao corpo.

Destes, a bondade (sattva), que, por ser imaculada, é esclarecedora e livre de toda miséria, entrelaça a alma com o vínculo do prazer e o vínculo do conhecimento. Saiba que a paixão (rajas) consiste em se apaixonar e é produzida a partir do desejo e do apego. Isso, ó filho de Kunti, une o ser corporificado com o vínculo da ação. Já a escuridão (tamas), que nasce da ignorância, ilude todos os "eus" encarnados.

Ó Bhárata, sattva predomina, às vezes, sobre rajas e tamas, outras vezes rajas predomina sobre tamas e sattva, e também tamas se destaca quando domina sattva e rajas.
Quando o conhecimento brilha através dos sentidos, deve-se considerar que sattva predomina. Quando prevalece a cobiça, a atividade, o conceito de novos empreendimentos, a intranquilidade e o desejo, então, ó descendente de Bhárata, rajas predomina. E quando tamas predomina, prevalece a escuridão mental, a inércia, a negligência e a alucinação.
Se o ser encarnado morre quando sattva predomina, então ele alcança os mundos imaculados daqueles que conhecem o mais elevado. Quando se encontra a morte durante a prevalência de rajas, ele nasce entre aqueles apegados à ação. Quando tamas predomina, nasce entre os seres que não raciocinam.
Diz-se que o fruto da boa ação é sáttvico e puro, o de rajas é o sofrimento e o de tamas é a ignorância. De sattva nasce a sabedoria, de rajas a cobiça e de tamas a incompreensão, a ilusão e a ignorância. Os seres de temperamento sáttvico se elevam às esferas superiores, onde se liberam progressivamente. Os rajásicos ficam no meio, onde renascem em corpo humano e os tamásicos descem.
Quando o sábio vê e reconhece que só os gunas atuam e conhece aquele que está além dos gunas, então chega ao meu ser. Transcendendo os três gunas que afetam este corpo, o ser encarnado se libera do nascimento, da morte, da velhice, do sofrimento e da miséria.

Disse Arjuna:

— Quais são as características, ó senhor, de alguém que transcendeu essas três qualidades? Qual é a sua conduta? E como ele transcende essas três qualidades?

Disse a Divindade:

— Diz-se que transcendeu as qualidades, ó filho de Pandu, aquele que não é avesso à luz, à atividade e à ilusão quando estas prevalecem e que tampouco as deseja quando cessam. Aquele que, estando sentado e contemplativo, nunca é perturbado por estas qualidades, que permanece firme e que não se move ao simples pensamento de que as qualidades existem. Aquele que é autônomo e para quem a dor e o prazer são a mesma coisa. Para quem um gramado, uma pedra e ouro são iguais, e aplica a mesma medida para o que é agradável e o que é desagradável. Quem tem discernimento, quem trata de forma equânime a censura e o elogio, que vê semelhança na honra e na desonra, para quem amigos e inimigos são a mesma coisa e que permanece alheio a toda ação. Assim, aquele que me adora com uma devoção inabalável, transcende essas qualidades e torna-se apto para adentrar na essência de Brahma. Pois eu sou a personificação do Brahma, da imortalidade irrevogável, da piedade eterna e da felicidade ininterrupta.

Capítulo XV

Disse a Divindade:

— Dizem que a eterna árvore Ashvattha tem suas raízes acima e seus ramos, abaixo. Suas folhas são os Khandas. Aquele que conhece isto também é conhecedor dos Vedas. Para cima e para baixo estendem seus ramos, os quais são ampliados por qualidades e cujos brotos são objetos sensoriais. E para baixo, para este mundo humano, continuam suas raízes que levam à ação.

Aqui neste mundo não se percebe a forma desta árvore eterna, nem seu princípio, nem seu fim, nem sua continuidade. Depois de cortar a árvore Ashvattha, a qual está profundamente enraizada, com o machado do desapego, então deve-se buscar o assento de onde aqueles que para lá vão nunca retornam, sabendo que se repousa naquele mesmo ser primordial do qual o antigo curso da vida mundana emanou.

Livre da vaidade e da ilusão, vencendo o mal do apego, sempre dedicado ao seu Eu Supremo e individual, completamente afastado dos desejos e dos pares de opostos, chamados de prazer e de dor, o sábio, livre da ilusão, alcança o objetivo supremo.

Nem o Sol, nem a Lua, nem o fogo podem iluminar esta meta, que é minha morada mais elevada. Esta, quando é alcançada, permite que não se regresse mais a este plano. É uma parte eterna de mim que, tornando-se uma alma individual no mundo mortal, atrai para si os sentidos, tendo a mente como o sexto deles.

Quando o ser toma um corpo ou o deixa, ele se associa com os seis sentidos ou os abandona e se vai como a brisa que leva con-

sigo o perfume das flores. Dirigindo os ouvidos, os olhos, os órgãos do tato, paladar e olfato e também a mente, ele experimenta os objetos dos sentidos.
Quem está iludido não o vê permanecendo ou abandonando um corpo, desfrutando ou unindo-se às qualidades, mas aquele que tem os olhos do conhecimento, vê. Os devotos que se esforçam para alcançar a perfeição veem-no morando em seu coração; por outro lado, os descuidados homens sem controle, apesar de seus esforços, não o veem.
Saiba que a luz do Sol que ilumina o universo, a luz da Lua e do fogo, são a minha luz. Entrando na Terra, através do meu poder, sustento todas as coisas e, tornando-me a úmida Lua, eu nutro todas as ervas. Tornando-me fogo e habitando os corpos de todas as criaturas, unido com os ares vitais ascendentes e descendentes, causo a digestão do alimento quádruplo. Eu resido no coração de todos os seres, e de mim se originam a memória, a percepção, bem como sua perda. Eu sou tudo o que deve se conhecer dos Vedas, pois sou o autor do sistema Vedanta e sou o conhecedor dos Vedas.
Neste mundo, há duas classes de seres: destrutíveis e indestrutíveis. Todas as criaturas são destrutíveis, apenas aqueles sem apego é considerado indestrutível. Distinto de ambos é o Supremo Ser, conhecido como o Paramátman, o Imutável, que entrando nos três mundos, os sustenta. O destrutível inclui todas as coisas. O impassível é aquele chamado de indestrutível. Mas o Ser Supremo é ainda outro, superior aos demais, que, como senhor inesgotável, penetra os três mundos e os sustenta. E, uma vez que transcendo o destrutível e sou superior ao indestrutível, sou celebrado no mundo e nos Vedas como o melhor dos seres. Aquele que, sem ilusões, assim me conhece, adora-me de todas as maneiras, ó descendente de Bharata, e sabe de tudo. Assim, ó impecável, proclamei esta ciência, a mais misteriosa. Aquele que sabe disto, fez tudo o que precisava fazer e se tornou possuidor de discernimento.

Capítulo XVI

Disse a Divindade:

— Libertação do medo, pureza de coração, perseverança na busca de conhecimento e abstração da mente, dons, autocontrole e sacrifício, estudo dos Vedas, penitência, franqueza, inofensividade, verdade, libertação da raiva, renúncia, tranquilidade, libertação do hábito de caluniar, compaixão por todos os seres, libertação da avareza, gentileza, modéstia, ausência de atividade vã, nobreza de espírito, perdão, coragem, pureza, libertação do desejo de ferir os outros, ausência de vaidade, estes, ó descendente de Bharata, pertencem àqueles que nascem com dons divinos. Ostentação, orgulho, vaidade, raiva, aspereza e ignorância pertencem àqueles, ó filho de Pritha, que nasceram com os seis dotes demoníacos.

Os atributos divinos conduzem ao homem à liberação e os demoníacos, à escravidão. Não se lamente, ó Pandava, pois você nasceu com a natureza divina. Existem dois tipos de seres neste mundo: os divinos e os asuras[15]. Os divinos já foram descritos amplamente. Agora ouça, ó Partha, sobre os asuras.

Os asuras não sabem o que devem fazer, nem o que não devem fazer, pois neles não se encontra nem a pureza, nem a boa conduta, nem a verdade. Eles opinam que neste universo não há verdade, nem moralidade, nem Deus. O mundo, segundo eles, é o produto da união carnal Mantendo essa visão, esses inimigos do mundo, do eu arruinado, de pouco conhecimento e de ações ferozes, nascem

15 Demônios (N. da T.)

para a destruição. Alimentando o desejo insaciável, cheios de vaidade, ostentação e frenesi, adotam noções falsas através da ilusão e se envolvem em observâncias profanas.
Entregando-se a pensamentos sem limites que terminam com a morte, entregues ao gozo dos objetos de desejo, decidindo que isso é tudo, entregues à raiva e ao desejo, querem obter montes de riquezas injustamente para desfrutar dos objetos de cobiça. "Isto eu obtive hoje, este desejo eu obterei, esta riqueza é minha, e isto também será meu. Este inimigo eu matei, e outros também destruirei. Sou senhor, sou o desfrutador, sou perfeito, forte, feliz. Eu tenho riqueza e sou de nascimento nobre, quem mais é como eu? Eu sacrificarei, darei presentes e me alegrarei." Assim, iludidos pela ignorância, agitados por numerosos pensamentos, cercados pela rede da ilusão e presos ao gozo dos objetos de desejo, caem no inferno impuro.
Honrados somente por si mesmos, desprovidos de humildade e cheios do orgulho e frenesi por riqueza, esses caluniadores realizam sacrifícios, que são sacrifícios apenas no nome, com ostentação e contra as regras prescritas, satisfazendo sua vaidade, força bruta, arrogância, luxúria, raiva e me odiando em seus próprios corpos e nos dos outros.
Esses inimigos, ferozes, os mais mesquinhos e profanos entre os homens, eu continuamente arremesso para baixo aos úteros demoníacos, para que desçam ao estado mais vil, sem nunca vir a mim. Tríplice é este caminho que leva ao inferno, perdição para o eu: luxúria, raiva e avareza. Portanto, deve-se abandonar essa tríade. Libertado desses três caminhos para a escuridão, ó filho de Kunti, um homem trabalha para seu próprio bem-estar e então prossegue para o objetivo mais elevado. Aquele que, abandonando as ordenanças das escrituras, age sob o impulso do desejo, não atinge a perfeição, nem a felicidade, nem o objetivo mais elevado. Dessa forma, certifique-se pelos textos sagrados sobre os deveres e proibições. Conhecendo bem seu significado, atue neste mundo conforme os mandamentos.

Capítulo XVII

Disse Arjuna:

— Qual é o estado daqueles, ó Krishna, que o adoram com fé, mas que abandonam as ordenanças das escrituras: bondade, paixão ou escuridão[16]?

Disse a Divindade:

— A fé existe em três formas nos seres encarnados e é produzida a partir de disposições. É sáttvica, rajásica e tamásica. Ouça o que direi sobre isso.

A fé de todos, ó descendente de Bharata, é conforme o coração. Um ser que é cheio de fé — qualquer que seja sua fé — faz com que seja um ser verdadeiro. Aqueles que possuam a qualidade da bondade adoram os deuses, os da qualidade da paixão, adoram os Yakshas e Rakshases, e as pessoas da qualidade das trevas adoram aqueles que já se foram e as multidões de Bhûtas. Saiba quem são aqueles de convicções demoníacas, que praticam penitências ferozes as quais não são ordenadas pelas escrituras e que estão cheios de ostentação, egoísmo, desejo, apego e teimosia. Estes estão sem discernimento e atormentam os conjuntos de órgãos em seus corpos, e a mim também, pois moro dentro desses corpos.

16 Sattva, rajas e tamas, os três gunas (N. da T.)

Também é tríplice a alimentação que é apreciada por todos, da mesma forma o sacrifício, a caridades e as austeridades. Ouça as distinções com relação a isto:
Os tipos de alimentos que aumentam a vida, a energia, a força, a saúde, o conforto e o prazer, que são saborosos, oleaginosos, cheios de nutrição e agradáveis, são apreciados pelos bons, ou sattvas. Os alimentos que são amargos, ácidos, salgados, muito quentes, fortes, duros, ardidos e que causam dor e doença são desejados pelos apaixonados ou rajas. E a comida fria, insípida, com cheiro forte, rançosa, impura e até restos, são apreciadas pelos trevosos, ou tamas.
O bom sacrifício é aquele que, sendo prescrito nas ordenanças das escrituras, é realizado por pessoas que não cobiçam o fruto do resultado. Mas quando um sacrifício é realizado, ó mais elevado dos descendentes de Bharata, com uma expectativa pelo fruto do resultado, ou com o propósito de ostentação, este é o sacrifício de um rajas. Chama-se o sacrifício de trevoso aquele que vai contra as ordenanças das escrituras, em que nenhum alimento é distribuído para os brâmanes etc., que é desprovido de mantras, desprovido de presentes Dakshinâ e sem fé.
Prestando reverência aos deuses, os brâmanes, preceptores e homens de conhecimento, através da pureza, franqueza, estilo de vida como o do Brahmakârin e inofensividade, obtém o que é chamado de austeridade corporal. A fala que não causa tristeza, que é verdadeira, agradável e benéfica e que se fundamenta através dos estudos dos Vedas é chamada de penitência verbal. A calma mental, brandura, serenidade, autocontrole e pureza de coração é chamado de penitência mental. Esta austeridade tríplice, praticada com fé perfeita por homens que não almejam o fruto e que são possuidores de devoção, chama-se boa, ou sáttvica. A austeridade que é

feita por respeito, honra e reverência, com ostentação, e que é incerta e transitória, é chamada de apaixonada ou rajásica. E a austeridade descrita como sombria é realizada sob uma convicção equivocada, com dor para si mesmo ou que envolve a destruição de outro. A oferta é tida como boa quando é dada a alguém que pode não fazer nenhum serviço em troca, em um lugar e tempo adequados e a uma pessoa adequada. Mas a oferenda que é dada com muita dificuldade, por uma retribuição de serviços, ou mesmo com uma expectativa de fruto, chama-se tamásica. Esse dom é descrito como escuro ou trevoso, e é dado a pessoas impróprias, em lugares e tempo impróprios, sem respeito e com desprezo.

Om, Tad e Sat é a tríplice designação de Brahma. Por eles, os brâmanes, os Vedas e sacrifícios foram criados em tempos antigos. Dessa forma, a execução por aqueles que estudam Brahma, sacrifícios, presentes e austeridades prescritos pelas ordenanças das escrituras, sempre começam depois de se pronunciar "Om". Aqueles que desejam a emancipação final realizam os vários atos de sacrifício e austeridade e de doação sem expectativa de resultado, após dizer "Tad". "Sat" é empregado para expressar existência e bondade, e da mesma forma, ó filho de Pritha, a palavra "Sat" é usada para expressar um ato auspicioso.

A constância em fazer sacrifícios, austeridades e oferendas é chamada "Sat", e toda ação com esses propósitos também é chamado de "Sat". Qualquer sacrifício oferecido, tudo que é dado, qualquer austeridade realizada e qualquer outra coisa feita sem fé, ó filho de Pritha, é chamado "Asat", e isso não é frutífero, nem aqui nem após a morte.

Capítulo XVIII

Disse Arjuna:

— Ó Hrishikesha! Ó destruidor do demônio Keshi! Ó ser de poderosos braços! Desejo conhecer distintamente a verdade sobre a renúncia e o abandono.

Disse a Divindade:

— Os sábios compreendem a renúncia como a rejeição de ações feitas em busca de desejos e méritos. Os sábios chamam a desistência do fruto de todas as ações pelo nome de abandono. Esses sábios dizem que a ação deve ser abandonada pois elas são más, enquanto outros sapientes opinam que as ações de sacrifício, dom e austeridade não devem ser abandonadas. Quanto a esta renúncia, ó melhor dos descendentes de Bharata, ouça minha decisão: a renúncia, ó mais valente dos homens, é descrita como tripla. As ações de sacrifício, dom e austeridade não devem ser abandonadas, mas sim executadas. Os sacrifícios, oferendas e austeridades são meios de santificação para os sábios. Mas mesmo essas ações, ó filho de Pritha, devem ser realizadas abandonando-se o apego e o fruto do resultado. Tal é a minha excelente e decidida opinião.

Tampouco a renúncia à ação prescrita é adequada. Sua renúncia muitas vezes ocorre pela ilusão e é descrita como sendo da qualidade da escuridão, ou tamásica. Quando um homem abandona a ação, meramente por ser problemática, por medo de aflição corporal, ele não obtém o fruto da renúncia, pois executa a renúncia de forma apaixonada ou rajásica. Quando a ação prescrita é executada, ó Arjuna, abandonar o apego e o fruto simplesmente porque devem ser renunciados também é considerado como uma boa renúncia, ou uma renúncia sáttvica. Aquele que possui a renúncia, sendo cheio de bondade e talento e tendo suas dúvidas destruídas, não é avesso às ações desagradáveis e nem apegado às agradáveis. Como nenhum ser encarnado pode abandonar as ações sem exceção, diz-se que possui a renúncia aquele que abandona o fruto da ação. O tríplice fruto da ação, agradável, desagradável e mesclado, acumula-se após a morte para aqueles que não são possuídos pela renúncia, mas nunca para os renunciantes.

Aprenda comigo, ó homem de braços poderosos, sobre estas cinco causas relacionadas ao cumprimento de todas as ações, declaradas no sistema Sankhya. O corpo, o ego, os vários tipos de órgãos, os vários movimentos distintos e, com estes, também as divindades, como a quinta.

Qualquer ação, justa ou não, que um homem realize com seu corpo, fala ou mente, essas cinco são suas causas. Assim sendo, o homem sem discernimento e sem um entendimento refinado vê o Ser Absoluto no eu imaculado, e assim não vê corretamente. Aquele que é isento sentimento de egoísmo, cuja mente não está contaminada, na realidade, não mata ninguém nem se liga ao resultado da ação.

O conhecimento, o objeto do conhecimento, e o conhecedor formam um tríplice impulso para a ação. O instrumento, a ação, o agente são, em resumo, a ação tríplice.

Conhecimento, ação e agente são declarados na enumeração de qualidades como sendo apenas três classes, de acordo com a diferença de qualidades. Ouça também como de fato são.

Saiba que esse conhecimento é bom, ou sáttivico, quando um homem vê uma entidade inesgotável e não diferente de todas as coisas aparentemente diferentes. O conhecimento apaixonado ou rajásico se baseia em distinções entre diferentes entidades e vê em todas as coisas várias entidades de diferentes tipos. O conhecimento tamásico, descrito como sombrio, é aquele que se apega a uma única coisa limitada a um só efeito e é desprovido de razão e de princípio verdadeiro e é trivial.
A ação chamada de boa, ou sáttivica, é descrita como sendo desprovida de apego, não realizada em razão de afeição, aversão e tampouco para se obter o fruto resultante da ação.
Já as ações descritas como passionais ocasionam muitos problemas e são realizadas por aqueles cobiçam objetos de desejo ou que são egoístas. A ação é chamada de sombria ou tamásica quando é realizada através da ilusão, sem levar em conta as consequências, perda, injúria ou força.
Chama-se bom, ou sáttivico, aquele agente que abandonou o apego, que está livre de egoísmos e que possui coragem e energia, não sendo afetado pelo sucesso ou fracasso.
Chama-se apaixonado, ou rajásico, aquele agente que é cheio de afeições, que busca o fruto das ações, que é cobiçoso, malicioso, impuro e que sente alegria e tristeza.
O agente é chamado sombrio, ou tamásico, quando é desprovido de empenho, discernimento, sendo obstinado, astuto, malicioso, preguiçoso, melancólico e lento.
Agora ouça, ó Dhanañgaya, a tríplice divisão entre a inteligência e a coragem, segundo as qualidades (gunas), que vou expor ampla e distintamente. Essa inteligência, ó filho de Pritha, é o bem (sattva) que compreende ação e inação, o que deve ser feito e o que não deve ser feito e conhece o perigo e a ausência do perigo, emancipação e escravidão.

O intelecto rajásico, ó filho de Pritha, é passional e entende imperfeitamente os conceitos sobre a piedade e a impiedade, o que deve ser feito e o que não deve ser feito.
Ó filho de Pritha, o intelecto tamásico é obscuro e envolto pela escuridão, entende a impiedade como piedade e todas as coisas incorretamente.
A coragem sáttvica, ó filho de Pritha, é a boa coragem, a qual é inabalável e pela qual se controla as operações da mente, da respiração e dos sentidos, por meio da abstração. Mas, ó Arjuna, quando a coragem é apaixonada ou rajásica, a mente é regulada pelo dever, pelo prazer, pela riqueza, pelo desejo de alcançar o fruto da ação e pelo apego. E a coragem é sombria, ou tamásica, ó filho de Pritha, é aquela por meio da qual um homem sem discernimento não abandona o sono, o medo, a tristeza, o desânimo e a loucura.
Agora, ó chefe dos descendentes de Bharata, ouça-me sobre os três tipos de felicidade.
A felicidade chamada de boa ou sáttvica é a que se desfruta por longa prática, que acaba com todo o pesar. Essa felicidade nasce do entendimento e da serenidade, é desagradável, no princípio, como veneno, mas no final é como um néctar produzido do claro conhecimento do eu.
Chama-se rajásica ou apaixonada a felicidade que flui do contato entre os sentidos e seus objetos e que, a princípio, é comparável ao néctar e, no longo prazo, ao veneno.
A felicidade é descrita como sombria, ou tamásica, quando advém do sono, da preguiça, da negligência e da ilusão do eu, tanto no início quanto em suas consequências. Não há entidade na Terra ou no céu entre os deuses que esteja livre dessas três qualidades nascidas da natureza.

Os deveres dos brâmanes, kshatriyas, vaisyas e dos sudras[17], também, ó terror de seus inimigos, são distinguidos de acordo com as qualidades nascidas da natureza. Tranquilidade, contenção dos sentidos, penitência, pureza, perdão, franqueza, conhecimento, experiência e fé, este é o dever natural dos Brâmanes. Valor, glória, coragem, destreza, não fugir da batalha, oferendas, exercício de poder senhorial, este é o dever natural dos Kshatriyas. Cultivar a terra, cuidar do gado, comércio, este é o dever natural dos Vaisyas. Já o dever natural dos Sudras também consiste no serviço. Todo homem empenhado em seus próprios deveres obtém a perfeição.

Ouça, agora, como alguém empenhado em seu próprio dever alcançar a perfeição. Quando um homem adora, através do cumprimento de seu próprio trabalho, aquele de quem todas as coisas procedem e por quem tudo isso é permeado, ele obtém a perfeição. Ainda que seja de forma deficiente, é melhor cumprir o próprio dever que o dever alheio. Cumprindo o dever prescrito pela natureza, não se incorre em pecado.

Ó filho de Kunti, não se deve abandonar um dever que lhe corresponde por nascimento, ainda que manchado pelo mal, pois todas as ações são envolvidas pelo mal, tal como o fogo pela fumaça. Aquele que é autocontrolado, cujo entendimento está desapegado e de quem os afetos se afastaram, obtém a suprema perfeição da liberdade da ação pela renúncia.

Aprenda comigo, apenas brevemente, ó filho de Kunti, como aquele que obteve a perfeição alcança Brahma, que é o mais alto cume do conhecimento. Um homem possuidor de uma compreensão pura, que controla seu eu pela coragem, que descarta o som e outros objetos dos sentidos, bem como rejei-

17 Respectivamente, as castas dos sacerdotes, guerreiros, e servos. Além destas, há a classe dos intocáveis, ou dalits (N. da T.)

ta afeição e aversão, que frequenta lugares limpos, que come pouco, cuja fala, corpo e mente são contidos, que está sempre concentrado na meditação e na abstração mental e que recorre à despreocupação, abandonando o egoísmo, a teimosia, a arrogância, o desejo, a raiva e a todos os pertences, e quem está tranquilo, torna-se apto para a assimilação com Brahma. Alcançando assim Brahma — e com um eu tranquilo — o homem não se aflige e nem deseja, mas sendo semelhante a todos os seres, obtém a mais alta devoção a mim dedicada. Por essa devoção ele realmente entende quem e o quão grandioso sou eu.

E então, entendendo-me verdadeiramente, o homem imediatamente entra em minha essência. Mesmo realizando todas as ações, sempre dependendo de mim, ele, por meu favor, obtém a posição imperecível e eterna. Dedicando em pensamento todas as ações a mim, sendo constantemente entregue a mim, colocando seus pensamentos em mim, através do recurso da abstração mental, será possível atravessar todas as dificuldades a meu favor. Mas se você não ouvir por egoísmo, será arruinado. Se pela soberba pensa, "não lutarei", em vão será seu propósito, porque sua natureza o obrigará a lutar.

Isso, ó filho de Kunti, o que você não deseja fazer por consequência da ilusão, você fará involuntariamente, já que está atado por seu próprio dever, fluindo de sua natureza. O Senhor, ó Arjuna, está sentado na região do coração de todos os seres e, com seu poder, girando todos os seres como se estivessem montados em uma roda. Ó descendente de Bharata, busque abrigo em todos os caminhos e assim você obterá a maior tranquilidade e a eterna morada.

Assim, declarei a você o conhecimento que é o segredo dos segredos. Reflita amplamente sobre isto e, em seguida, faça o

que quiser. Assim, declarei a você o conhecimento mais misterioso do que qualquer mistério. Reflita sobre isso cuidadosamente e depois aja como quiser. Mais uma vez, ouça minhas excelentes palavras, as mais misteriosas de todas.
Eu gosto fortemente de você, portanto, vou declarar o que é para o seu bem. Que sua mente se ocupe de mim e que você se torne meu devoto, cultue-me, reverencie-me e você certamente virá a mim. Eu declaro a você que é verdadeiramente querido para mim. Abandonando todos os deveres, venha a mim como seu único refúgio. Eu o libertarei de todos os pecados.
Jamais transmita esse conhecimento a quem não faz penitência, quem não é devoto, ou que não quer ouvir, ou ao que está contra mim. Aquele que, com profunda devoção por mim, instruir este mistério supremo aos meus devotos, virá a mim, liberto de todas as dúvidas.
Ninguém entre os homens é superior a ele em fazer o que me sirva melhor. E nunca haverá outro na Terra mais querido para mim do que ele. Segundo minha opinião, estudar este nosso sagrado diálogo é como fazer um culto do conhecimento a mim.
Ó filho de Pritha, ouviu isto com atenção? Ó Dhananjaia, foi destruída a ilusão de sua ignorância?

Arjuna disse:

— Minha ilusão está destruída, ó não degradado! Por sua graça recobrei a memória de minhas promessas anteriores. Sinto-me firme, minhas dúvidas desapareceram. Cumprirei Tua ordem.

Sanjaya disse:

— Assim eu ouvi este diálogo entre Vasudeva e o nobre filho de Pritha, uma conversa maravilhosa e espantosa. Pelas graças de Vyasa, eu ouvi o mistério deste conhecimento mais elevado sobre devoção, do próprio Krishna, o senhor dos possuidores de poder místico, que o proclamou em pessoa. Ó rei, quanto mais me lembro deste maravilhoso e sagrado diálogo de Kesava e Arjuna, mais me alegro, repetidamente. E lembrando daquela forma maravilhosa de Hari, eu me alegro de novo e de novo.

Onde quer que esteja Krishna, o senhor dos possuidores de poder místico e onde quer que esteja o grande arqueiro, o filho de Pritha, lá estará a prosperidade, a vitória, o sucesso e o dom de governar. Esta é minha convicção.

CONFIRA NOSSOS
LANÇAMENTOS AQUI!